Part 2 | MOSAIC

고딕 아니고 고딩 | 바른정신 | 하나되어 손글씨 | 초딩희망 | 아름드리 꽃나무 | 가람연꽃 | 반짝반짝 별
버드나무 | 점꼴체 | 아줌마 자유 | 희망누리 | 할아버지의 나눔 | 장미체 | 강부장님체 | 아빠의
곰신체 | 금은보화 | 열아홉의 반짝임 | 예쁜 민경체 | 강인한 위로 | 성실체 | 대광유리 | 대한민국
하나손글씨 | 칼국수 | 달의궤도 | 혜준체 | 정은체 | 고려글꼴 | 암스테르담 | 규리의 일기 | 한윤
또박또박 | 다시 시작해 | 야근하는 김주임 | 백의의 천사 | 북극성 | 나무정원 | 끄트머리체 | 옥비
딸에게 엄마가 | 둥근인연 | 손편지체 | 의미있는 한글 | 미니 손글씨 | 코코체 | 따악단단 | 사랑해
효남 늘 파이팅 | 꽃내음 | 잘하고 있어 | 동화또박 | 맛있는체 | 세아체 | 배은혜체 | 미래나무
아빠글씨 | 마고체 | 바탕체 | 와일드 | 소방관의 기도 | 세화체 | 신혼부부 | 범솜체 | 부장님 눈치체 | 고딕
외할머니글씨 | 무진장체 | 우리딸 손글씨 | 시우 귀여워 | 기쁨밝음 | 아기사랑체 | 다진체 | 노
상해찬미체 | 자부심지우 | 예당체 | 나는 이겨낸다 | 갈맷글 | 철필글씨 | 김유이체 | 아인맘
다행체 | 무궁화 | 안쌍체 | 열일체 | 바른히피 | 세계적인 한글 | 희망누리 | 여름글씨 | 빵구니
휜꼬리수리 | 느릿느릿체 | 왼손잡이도 예뻐 | 소미체 | 하람체 | 진주 박경아체 | 엉겅퀴체
옥비체 | 유니 띵땅띵땅 | 수줍은 대학생 | 야채장수 백금례 | 혁이체 | 몽돌 | 다채사
고딕 아니고 고딩 | 바른정신 | 하나되어 손글씨 | 초딩희망 | 아름드리 꽃나무 | 가람연꽃
버드나무 | 점꼴체 | 아줌마 자유 | 희망누리 | 할아버지의 나눔 | 장미체 | 강부장님체
곰신체 | 금은보화 | 열아홉의 반짝임 | 예쁜 민경체 | 강인한 위로 | 성실체 | 대광유리
하나손글씨 | 칼국수 | 달의궤도 | 혜준체 | 정은체 | 고려글꼴 | 암스테르담 | 규리의 일기
또박또박 | 다시 시작해 | 야근하는 김주임 | 백의의 천사 | 북극성 | 나무정원 | 끄트머리
딸에게 엄마가 | 둥근인연 | 손편지체 | 의미있는 한글 | 미니 손글씨 | 코코체 | 사랑해 아들 | 따악
효남 늘 파이팅 | 꽃내음 | 잘하고 있어 | 동화또박 | 맛있는체 | 세아체 | 배은혜체 | 꽃내음
아빠글씨 | 마고체 | 바탕체 | 와일드 | 소방관의 기도 | 세화체 | 신혼부부 | 범솜체 | 부장님 눈치
외할머니글씨 | 무진장체 | 우리딸 손글씨 | 시우 귀여워 | 아기사랑체 | 기쁨밝음
상해찬미체 | 자부심지우 | 예당체 | 나는 이겨낸다 | 갈맷글 | 철필글씨 | 아기사랑체
다행체 | 무궁화 | 안쌍체 | 열일체 | 바른히피 | 세계적인 한글 | 희망누리 | 여름글씨 | 빵구니맘
휜꼬리수리 | 느릿느릿체 | 왼손잡이도 예뻐 | 소미체 | 하람체 | 진주 박경아체 | 엉겅퀴
옥비체 | 유니 띵땅띵땅 | 수줍은 대학생 | 야채장수 백금례 | 혁이체 | 몽돌 | 다채
고딕 아니고 고딩 | 바른정신 | 하나되어 손글씨 | 초딩희망 | 아름드리 꽃나무 | 가람연
버드나무 | 점꼴체 | 아줌마 자유 | 희망누리 | 할아버지의 나눔 | 장미체 | 강
곰신체 | 금은보화 | 열아홉의 반짝임 | 예쁜 민경체 | 강인한 위로 | 성실체
하나손글씨 | 칼국수 | 달의궤도 | 혜준체 | 정은체 | 고려글꼴 | 암스테
또박또박 | 다시 시작해 | 야근하는 김주임 | 백의의 천사 | 북극성 | 나무
딸에게 엄마가 | 둥근인연 | 손편지체 | 의미있는 한글 | 미니 손글씨 | 코코체
효남 늘 파이팅 | 꽃내음 | 잘하고
아빠글씨 | 마고체 | 바탕체 | 와
외할머니글씨 | 무진장체 | 우

eTunneLight

eTunneLight Part 2 | MOSAIC

머리말 | Eighteen

『Eighteen』이라는 이름의 수학 문제집이 있습니다. 신기하게도 그 책에 있는 모든 문제의 답은 "18"입니다. 이는 과정의 중요성을 시사하는데 인생의 모든 답 또한 결국 "감사합니다"라고 생각합니다. "삶"은 감사(感謝)의 운명(運命)을 깨닫기 위한 방황(彷徨)이라고 느낍니다. 독창성을 좋아하던 한 청년이 자신만의 이야기를 고집하며 방황하다 끝내 발견한 것은 수많은 사람들의 이야기였습니다. 그 여정(旅程)을 『eTunneLight』에 담았습니다. 이 안에 담긴 저의 목소리가 미약하게나마 당신의 노래를 불러주었으면 좋겠습니다. 미리 고개 숙여 감사의 말씀을 드립니다. 감사합니다.

나눔손글씨 '바른정신' | 저는 네 아이의 엄마입니다.
아이들이 제 글씨를 너무 좋아해서 학교 선생님께 메모를 드릴 때면 뿌듯해하고 자랑스러워해요.

1. 입구 구간 (the Approaching Cutting)

포탈 앞에 위치하며, 터널로 진입하기 전에 도로 또는 철도가 터널에 접근하기 위한 경사로 또는 곡선이 위치합니다.

Dialogue | 틈

김유준 金宥儁 | 선생님, 이 글을 대화문(對話文)으로 쓰신 이유가 궁금해요.

박세욱 朴世旭 | 선생님은 대화를 좋아해요. 특히 학생들과 대화하다 보면 재미있고 신선한 아이디어가 나와요. 대화의 '틈'에서 무언가 새로운 걸 엿볼 수 있어요.

金宥儁 | 대화를 주고받는 찰나에 번뜩이는 게 나온다는 말씀이시군요?

朴世旭 | 맞아요! 하지만 연기(演技)가 배우의 내면(內面)을 더 폭넓게 보여주듯이 '혼자서 하는 대화'가 어쩌면 더 깊을 수 있다고 생각해요. 독백(獨白) 같은 대화(對話)가 사람(人)을 더 몰입(沒入)하게 만드는 것 같아요.

金宥儁 | 그럼 대화문에 실제 학생들의 '이름'을 넣으신 이유도 몰입감과 관련이 있을까요?

나눔손글씨 '하나되어 손글씨' | 한국에 7년째 거주 중인 외국인입니다.
처음엔 기호 같았던 손글씨로, 이제는 마음을 주고 받습니다. 세계가 하나 될 이야기를 담아주세요.

朴世旭 | 맞아요! 특정 주제가 나왔을 때 특정 학생의 이름이 떠올랐어요. 예를 들면 많은 학생들이 장래 희망으로 선생님을 꿈꾸지만 특히 진정성이 느껴지는 학생이 있어요. 선생님이 되고 싶어서 선생님이 된 사람은 '선생님이 되고 싶게 만드는 힘'이 있어요. 그리고 '오리지널'을 담고 싶었어요. 사람의 오리지널은 목소리에 있다고 생각해요. 선생님은 집에 있을 때 혼잣말을 많이 하는데 그러다 보면 잃어버렸던 자기 자신을 되찾아요. 솔직한 목소리는 '나'를 보여주는 동시에 '사람'도 보여준다고 믿어요.

金宥儁 | 생각해 보면 개인적인 고민을 털어놓았을 때 더 많은 공감을 받았던 것 같아요.

朴世旭 | 맞아요! 나는 '나의 이야기'를 하고 너는 '너의 이야기'를 하는 것처럼 들리지만 실은 '우리의 이야기'를 하고 있다고 믿어요. 선생님은 나와 너의 '틈'에서 '우리'를 봤던 순간들을 나누고 싶어요.

Monologue | 액정 필름

동생이 아이폰을 사주었다.

근데 위에 필름이 없다.

그냥 내 눈이 필름이 되어야겠다.

나눔손글씨 '초딩희망' | 저는 초등학교 4학년입니다.
어른들처럼은 못 써도, 초등 학생 중에서는 잘 쓰는 편입니다. 친구들이 쓸 글꼴을 만들어주세요.

Monologue 1 두 가지

예술에는 두 가지 종류가 있다.

산이 있다면

하나는 그 산을 '그리는 예술'이고

나머지 하나는 그 산을 '뚫어버리는 예술'이다.

Monologue | 운명의 언어

궁수가 엑스텐을 쏜 것처럼 우리는 '적확(的確)한 표현'에 통쾌(痛快)함을 느낀다. 그 통쾌함은 개인적이지 않다. 어쩌면 삶을 언어로 묘사할 때 가장 적확한 형태의 언어가 이미 정해져 있는 건 아닐까? 우리의 삶은 어쩌면 운명(運命)의 언어(言語)를 기다리고 있는 건 아닐까? 나는 언제나 그랬듯이 기다릴 것이다.

언제나 그랬듯이 나는 기다릴 것이다.

나눔손글씨 '아름드리 꽃나무' | 당신의 모든 말들이 아름드리나무에 피어나는 꽃과 같길 바라면서 참여했습니다. 우리말 꽃이 탐스럽게 피어나길 바랍니다.

Monologue 1 우리의 성장

나는 스카이 대학 근처에도 가지 못했다. 하버드, 예일 등의 아이비리그에서는 무엇을 배우는 지 궁금했다. 역시 세계 최고는 달랐다. Michael Sandel 교수님은 감각적인 접근을 통해서 "철학은 기다림이다"라는 깨달음을 주셨고, Amy Hungerford 교수님은 미국 현대 소설 강의를 통해 "우아(優雅)함"이 무엇인지 느끼게 해주셨다. '외교의 역사'라고 불리는 Henry Kissinger 교수님은 위대한 저서를 통해 "문장(文章)"을 가르쳐주셨다. 진리(眞理)를 향한 길은 누구에게나 열려있었다. 그 길에서 나는 "순수(純粹)"를 배웠다. 그분들 덕분에 나는 나를 순수하게 탐구(探究)할 수 있었고 사람들은 그걸 성장(成長)이라고 불러주었다. 나는 성장이야 말로 삶의 예술이라고 믿는다. 나는 나의 성장이 나만을 위한 일이라고 생각하지 않는다. 나의 성장으로 당신의 성장을 보여줄 수 있다고 믿는다. 당신의 성장에 함께하고 싶다.

나눔손글씨 '가람연꽃' | 취업 준비생입니다. 글씨에 성격이 담긴다지만, 저는 이상을 담으려 해요. 불투명한 미래에도 희망이 있다는 믿음을 가지려 합니다.

2. 포털 (the Portal)

터널의 입구 부분을 나타내며, 외부와 내부를 연결합니다. 이 지점에서 차량, 기차 또는 다른 교통수단이 터널에 진입합니다.

Dialogue | 백야(白夜)

김지민 **金知慜** | 선생님, 독창(獨創)적이기 위해서는 어떻게 해야 할까요?

박세욱 **朴世旭** | 평소 공부할 때 모르는 것이 나오면 스스로 고민하는 시간을 가져보세요. 어떤 과목이던 그것이 던지는 '미스터리'가 있어요.

金知慜 | 미스터리요? 이미 다 알려진 사실인데 미스터리라고 할 수 있나요?

朴世旭 | 많은 사람들이 알고 있어도 본인이 모른다면 미스터리에요. 우리 사회는 지나치게 밝다고 생각해요. 밝은 사회일수록 어둠이 설자리가 없죠. 빛은 좋은 것이고 어둠은 나쁘다는 건 '백야(白夜)의 거짓말'이에요. 건강한 어둠이 사라졌어요. 미스터리가 이끄는 '터널'로 들어가 보세요.

金知慜 | 터널이요?

朴世旭 | 네. 터널은 '스스로 고민하는 시간'을 말하는 거예요.

나눔손글씨 '반짝반짝 별' | 미래에 대한 불안으로 우울해하는 친구들에게, 노력이 언젠가는 별처럼 빛날 거예요. 이 글꼴이 빛나는 이야기를 가득 담기를.

金知愍 | 선생님, 다 아는 사실인데 그 답을 알아내봤자 의미가 있을까요? 그것보다는 독창적인 것을 만드는 데 시간을 쓰고 싶어요.

朴世旭 | 독창성의 기준은 외관이 아닌 내면(內面)에 있어요. 스스로의 힘으로 알아낸 거라면 이미 독창적이라고 믿어요.

金知愍 | 하지만 혁신은 결국 천재들이 하는 게 아닐까요? 저는 그렇게 똑똑하지 못해서요...

朴世旭 | 혁신(革新)은 천재들이 하는 게 아니라 하고 싶은 사람이 한다고 생각해요. 능력보다는 관심(關心)이 더 중요하죠. 관심이 있으면 결국 길을 찾게 된다고 믿어요. 한국 사회의 터널 속에서 수많은 엘리트들이 나왔지만 새로운 것을 제시할 수 있는 사람은 몇 나오지 못했어요. 혁신은 비즈니스가 아니라 '선물'이거든요. 세간의 참견을 무시하고 웅장하게 자신의 터널을 만드는데 주력하세요. 그리고 그 터널의 끝에서 자신이 준비한 선물을 전해주세요. 그게 꼭 대단한 발명품이나 예술 작품일 필요 없어요. 일상에서 하는 말과 행동이 모두 그 터널의 결과물이에요.

金知愍 | 사소한 거라도 괜찮을까요?

朴世旭 | 그럼요! 사람들은 본능적으로 결과물보다 그 뒤에 숨은 '터널'을 느끼니까요.

Monologue 1 퍼플벨트

미스터리는 어느 정도 지켜줘야 하는 건 아닐까? 도시에 그린벨트가 있듯이 머리 안에는 '퍼플벨트(Purple Belt)'가 필요하다. 이와 관련해서 좋아하는 뮤지션의 '일화(逸話)'를 소개하고 싶다. 그의 정규 1집은 '한국 대중음악 100대 명반'에 들어갈 정도로 작품성을 인정받았는데 그 앨범의 총괄 프로듀서는 작업을 굉장히 빨리하는 스타일이었다. 그는 프로듀서의 작업 속도를 따라가기 버거워 했고 결국 굉장히 급하게 완성된 앨범이 발매되었다. 그래서 전문가들은 기술적인 면에선 아쉬움을 토로했다. 그럼에도 불구하고 그 앨범이 많은 사랑을 받았던 이유는 사람들에게 '공간'을 주었기 때문이다. 바쁘게 작업하다 보니 반은 채워져 있고 반은 비어 있었지만 그 공간이 사람들의 '거울'이 되어주었다. 그러고 나서 그는 본인이 흡족할 만한 2집을 들고나왔다. 하지만 나는 1집이 가장 좋다.

나눔손글씨 '버드나무' | 이건 절 혼자 키우신 저희 엄마의 글씨체입니다.
엄마의 글씨체로 소녀였던 엄마의 추억을 이렇게 남겨드리고 싶어요.

Monologue | 여유

영어 원서를 읽을 때 "적당한 여유"가 느껴지는 수준의 책이 가장 좋다. 적당한 여유에서 지적 시선이 있고 그 시선에서 사유가 발생할 수 있으며 그 사유 속에서 우연(偶然)을 만날 수 있다. 하지만 대부분 "있어 보이는" 고난도의 자료를 고른다. 도전이 될 수도 있지만 금방 쓰러질 것이다. 무릇 자신의 그릇에 맞는 '건강한 선택지'가 있다. 하지만 애석하게도 인간은 한 번에 건강한 선택지를 고르지 못한다.

나눔손글씨 '점꼴체' | 점을 찍어 쓰는 글씨는 좀 더 선명한 느낌이 들고, 별자리 느낌도 들어 애용합니다. 부족하지만 뜻 좋은 공모전에 참여해봅니다 ♡

Monologue | 멸치 육수

엄마가 끓인 국을 한 숟갈 떠먹어보면 바로 '멸치 육수'인 것을 알아맞힌다.

'맛을 보는 사람'은 헷갈리지 않는다.

헷갈리는 사람은 항상 '맛을 내는 사람'이다.

나눔손글씨 '아줌마 자유' | 저는 자영업을 하는 아줌마입니다.
아줌마도 뭔가 할 수 있다는 의미로 자유롭게 표현해보았습니다.

Monologue | 물은 100도에서 끓는다

물은 100도에서 끓는다.

이성(理性)과 감성(感性)도 마찬가지다.

판단은 내리는 것이 아니라 내려지는 것이고

감정은 가지는 것이 아니라 생기는 것이다.

물이 끓을 때까지 기다리자.

물은 100도에서 끓는다.

나눔손글씨 '희망누리' | 두 아이의 엄마이자 평범한 주부예요.
경력은 단절되었지만 꿈을 품고 사는 멋진 엄마가 되고 싶어 지원합니다. 전업 맘들 힘내세요.

Monologue | 요즘 산신령

나는 어렸을 적에 '배추도사 무도사의 옛날 옛적에'를 즐겨봤다. 그래서 그런지 나에게 권위자는 '산신령'의 모습을 하고 있다. 산신령은 구체적으로 알려주지 않고 의미심장한 말을 한다. 그럼 그 말을 들은 사람이 그 의미를 알아내야 한다. 생각해 보면 그 탐색 과정에서 자연스럽게 '힘'이 길러졌던 것 같다. 요즘 시대의 권위자는 단연 '나무위키'이다. 나무위키는 산신령과 다르게 구체적이고 정확하다. 그리고 누군가의 '썰'을 듣는 것 같아서 재미도 있다. 하지만 듣고 나면 남는 게 없다.

나눔손글씨 '할아버지의 나눔' | 할아버지가 써 보는 한글입니다.
요즘 유행하는 글씨체는 아니겠지만 누군가에게는 꼭 필요한 글씨체였으면 좋겠습니다.

3. 조명 시스템 (the Lighting System)

터널 내에는 안전하게 통행할 수 있도록 충분한 조명 시스템이 필요합니다. 터널의 길이와 너비에 따라 다양한 조명 방식이 사용되며, 비상 상황 시에도 충분한 가시성을 확보하기 위해 설계됩니다.

Dialogue | 물고기

김범준 金範峻 | 선생님, 책 이름을 『eTunneLight』로 지으셨는데 어떤 의미인가요?

박세욱 朴世旭 | 음… 선생님은 평소에 쉬는 날이면 집에서 글을 써요. 강의대 앞에서 막 떠들면서 글을 쓰죠. 선생님은 목소리가 '제3의 눈'이라고 생각해요. 목소리에서 갑자기 아이디어가 '확' 튀어나오는데 그것을 잡는 게 정말 짜릿해요. 그런 면에서 글쓰기는 '낚시'와 참 닮은 것 같아요.

金範峻 | 낚시요?

朴世旭 | 네. 선생님은 취미로 낚시하시는 분들을 보면 이해가 잘 안 됐어요. 하루 종일 앉아서 물고기 몇 마리를 낚은 뒤에 돌아가는데 처음부터 수산 시장에 가면 되지 않을까 생각했죠.

金範峻 | 잡는 재미가 있어서 그런 게 아닐까요?

나눔손글씨 '장미체' | 성우 일을 하고 있어요.
평소엔 목소리로 마음을 전했다면, 이번엔 서툴지만 제 손글씨로 감동을 전하고 싶어요.

朴世旭 | 물론 그런 것도 있겠지만 '미스터리'를 즐기시는 것 같아요. 무엇을 잡을지 알 수 없고 그날 물고기를 한 마리도 못 잡을 수도 있죠. 스스로 어두운 터널로 들어가는 것과 같아요. 그 안을 걸으면서 '빛'을 기다리죠.

金範峻 | 물고기가 잡히면 그 '빛'을 본 거군요?

朴世旭 | 맞아요! 선생님은 그게 '진정한 빛'라고 생각해요. 수산 시장에는 생선이 여기저기 널려있지만 '물고기'는 하나도 없어요. 그러한 의미에서 '물리적 존재'와 '진정한 존재'는 다르다고 생각해요.

金範峻 | 어둠 속에서 발견한 빛의 존재가 '진정한 존재'라는 말씀이시군요?

朴世旭 | 그렇죠! 선생님은 『eTunneLight』를 통해서 학생들이 진정한 존재를 원할 수 있는 사람이 되었으면 좋겠어요. 어두운 빛으로 가득한 세상에서 밝은 어둠의 손을 잡아줄 수 있는 '진정한 빛'이 되었으면 좋겠어요.

Monologue | 풍선

내 안에는 거대한 풍선이 있다.

평소에는 바람이 빠져서 바닥에 늘어져 있다.

목소리를 내면 풍선에 바람이 들어간다.

그럼 그 풍선은 부풀어 오르면서 자신의 모습을 보여준다.

그러고 나는 풍선의 외형과 내부를 관찰한다.

나눔손글씨 '강부장님체' | 오래전부터 글씨를 많이 쓰는 사무실에서 일해온 강 부장입니다. 사무실에서 흔히 볼 수 있는 이 글씨로 타이핑해보면 어떨까요?

Monologue 1 공작

수컷 공작은 암컷을 유혹(誘惑)할 때

근사한 꼬리깃털을 펼쳐 '환상(幻想)의 세계(世界)'를 보여준다.

나 또한 때때로 공작이 된다.

나의 어둠 속에 당신을 가두고 싶을 때가 있다.

이 세상으로부터 당신을 멋지게 숨겨주고 싶을 때가 있다.

나눔손글씨 '아빠의 연애편지' | 100통이 넘는 편지를 주고받으며 사랑을 키우신 군인 부부 부모님
♡ 30년이 지나도, 엄마를 향한 아빠의 사랑이 담겼습니다.

Monologue | 목소리의 세계

목소리는 '하나의 세계(世界)'다.

목소리를 들으면 상대방의 위치를 느낄 수 있다.

'진정한 만남과 헤어짐'은 목소리 안에서 이루어지는 건 아닐까?

그 안에선 자유롭게 만나고 헤어질 수 있는 건 아닐까?

만나고 싶은 사람의 글을 소리내어 읽으면 그 사람과 만날 수 있지 않을까?

나눔손글씨 '곰신체' | 남자친구 군대를 기다리고 있는 곰신입니다.
훈련병때 또는 생각이 많이 나는 날 쓰는 애틋한 손편지를 느껴보셨으면 좋겠습니다.

eTunneLight

Monologue | 무지개의 초상화

우리는 살다보면 우연치 않게 '무지개'를 만나게 된다.

하지만 아름다운 만남도 잠시

갑자기 그 무지개가 사라지는데

그 만남이 너무나도 아름다웠는지 그 무지개를 복원하려 한다.

하지만 아무리 노력해도 그때 그 모습이 나오지 않는다.

10년이 지난 지금도

그 무지개의 초상화는 미완성이다.

나눔손글씨 '금은보화' | 내년에 원하는 대학에 합격해서 제 손글씨 글꼴로 과제를 작성하고 싶어요. 수험생 모두에게 좋은 결과가 있길! 파이팅!

Monologue | 암실

불이 꺼진 방 안에서 나는 헤매고 있다.

Monologue | 춤

안무가는 춤을 만들지 않는다. 그저 음악 안에 들어있던 춤을 꺼낼 뿐이다. 사물 안에도 춤이 들어있다. 키보드로 글을 쓸 때는 그저 버튼만 가볍게 누르면 된다. 가볍게 누르는 만큼 태도와 생각 또한 가벼워진다. 반면에 만년필은 잉크를 넣고 움직여야 한다. 원하는 글자만큼 움직여야 하기 때문에 부지런해야 하고 한 번 쓰면 지울 수 없기 때문에 신중해야 한다. 우리가 사물을 조종한다고 생각하지만 실은 사물이 시키는 대로 움직이는 건 아닐까? 혹시 사람 안에도 춤이 들어있을까? 그렇다면 내 안에 어떤 춤이 들어있을까?

나눔손글씨 '열아홉의 반짝임' | 대한민국 열아홉입니다.
하고픈 것 모두 미뤄둔 채 달려왔습니다. 한 번뿐인 열아홉이 꿈을 향해 빛난 하루하루였기를...

4. 통행 구간 (the Traffic Zone)

도로 터널의 경우 차량이 통행하는 도로 구간을 나타냅니다. 이 구간은 교통 흐름을 관리하고 안전을 유지하기 위해 다양한 표지와 시설이 설치됩니다.

Dialogue | 별

이서연 李敍演 | 선생님께서 만년필(萬年筆)을 사용하시는 이유가 궁금해요. 불편하지 않으세요?

박세욱 朴世旭 | 음... 손에 잉크가 묻는 것 빼고 특별히 불편하다고 느낀 적은 없어요. 선생님은 몽블랑 만년필을 좋아하는데 요즘은 '글래시어(Glacier)' 모델을 주로 사용하고 있어요. 펜촉이 종이 위에서 부드럽게 미끄러지는 느낌이 좋아요. 흰 종이 위에 파랑색 잉크로 글을 쓰다 보면 깨진 빙판 틈 사이로 맑은 얼음물이 차갑게 올라오는 풍경(風景)이 연상돼요.

李敍演 | 몽블랑 만년필의 질감과 분위기를 좋아하신다는 거군요?

朴世旭 | 맞아요! 글래시어로 글을 쓰다보면 그 풍경 속의 '낚시꾼'이 된 것 같아요.

李敍演 | 낚시꾼이요?

朴世旭 | 네. 글을 쓰면서 생각의 에너지도 느끼지만 동시에 생각을 명확하고 날카로운 모습으로 잡아내려는 만년필의 에너지도 느껴요. 마치 낚싯줄에

나눔손글씨 '예쁜 민경체' | 전 매일 아침 엄청난 서류를 정리하는데, 글씨만 봐도 누구 문서인지 알 수 있답니다. 글씨는 나를 표현하는 힘이 있는 것 같아요.

걸려 저항하는 물고기와 힘껏 잡아당기는 낚시꾼의 '줄다리기' 같아요. 펜촉의 끝에서 나오는 낚싯줄은 신선한 생각을 우아(優雅)하고 힘찬 곡선(曲線)으로 끌어당겨요. 그게 만년필의 '카리스마'라고 생각해요.

李敍演 | 선생님 말씀을 듣고 보니 물건이 사람에게 태도를 만들어 주는 것 같아요.

朴世旭 | 오, 맞아요! 그러한 의미에서 만년필은 우리에게 저항을 알려준다고 생각해요. 우리는 언어의 디자인에 순종해야 하죠. '가'를 '나'로 써서는 안되니까요. 하지만 손 글씨를 쓸 때는 묘한 저항을 할 수 있어요. '가'를 써도 자신의 DNA가 들어있는 '가'로 쓸 수 있죠. 원을 그리지 않고 과감하게 점을 찍거나 하나의 획을 그어 다른 글자들을 우아하게 품을 수도 있어요. 동작(動作)에서 자신의 표정(表情)과 가치관(價値觀)이 드러나요. '손글씨만이 보여줄 수 있는 경치'가 있어요.

李敍演 | 목소리와 손글씨는 자신만의 '모서리(edge)'가 있다는 말씀이시군요!

朴世旭 | 정확해요! 목소리와 손글씨만이 아니에요. '컴퓨터로 글을 쓰고 정리하는 일' '산책' 그리고 '대화' 모두 각자만의 모서리(edge)를 가지고 있어요. 이 5개의 모서리들이 한데 어우러져 보여주는 경치(景致)는 빛이 나죠. 마치 '별'처럼요!

Monologue | Stand by Myself

큰 어머니는 5학년 때 당신의 어머니께서 농사를 지으며 자식들을 키우느라 고생하시는 모습을 보면서 공부를 더 열심히 했다고 하셨다. 대학입학 시험 날 교문 앞에서 부모님과 헤어지는 순간, 더 이상 자신의 삶에 들어 올 수 없다는 것을 깨닫고, 혼자서 씩씩하게 걸어갔다고 하셨다. 한의사가 된 이후에도 일과 가사(家事)를 병행하면서 치열하게 하루 하루를 보냈다고 하셨다.

상호는 나의 사촌 동생이다. 상호는 어렸을 적부터 어른들에게 무언가 사달라고 졸라본 적이 없다. 남에게 기대려 하지 않고 도움을 요청하면 언제든 기꺼이 도와준다. 상호는 자신의 일을 열심히 한다. 상호는 항상 밝게 웃는다. 큰 어머니는 상호를 좋아하신다.

나눔손글씨 '강인한 위로' | 고학생 안학도입니다. 글을 통해 답답한 마음을 풀고 힘든 시기를 버틸 수 있었습니다. 제 글씨로 위로가 되고 싶습니다.

Monologue | 퍼즐

오래된 친구가 한 명 있다.

근데 우리는 서로의 생일을 챙기지 않는다.

그래서 하루는 술을 마시다가

우리는 왜 서로의 생일을 챙기지 않느냐고 물어봤다.

본인은 생일 챙기는 것을 안 좋아한다고 했다.

그러더니 내 생일이 언제인지 아냐고 물었다.

그래서 6월 15일 아니냐고 했더니 "6월 14일"이라고 했다.

나의 마음은 퍼즐판 같다. 그 퍼즐판에는

한 조각이 비어 있는데

나는 그 구멍에 딱 맞는

퍼즐조각

을 찾고 있다.

공허함에도 테두리가

있었다.

나눔손글씨 '성실체' | 말하지 않아도 나를 나타내는 글씨.
글씨에는 내가 담겨있고, 누군가를 향한 진심을 표현할 수 있는 가장 좋은 도구인 것 같아요.

eTunneLight

Monologue | birdsofafeatherflocktogether

가족 중에는 나와 비슷한 인간상을 가진 사람은 단 한 명도 없었다. 우리는 서로 너무 달랐다. 오히려 나와 정말 비슷한 사람은 가족 밖에 있었다. 직장에서 한 명 찾았고 내가 가르치는 학생 중에 한 명 찾았고 내가 좋아하는 뮤지션 중에 한 명 찾았다. 참 재미있게도 우리는 서로를 금방 알아보았다. 우리는 서로에게 '또 다른 나'였다.

나눔손글씨 '대광유리' | 옛날 저희 집은 유리 가게에서 거울에 'OO증'을 적으시는 부모님 뒷모습을 보며 자랐습니다. 그때 추억을 흉내 내보았습니다.

eTunneLight

Monologue | 응집

유기물들은

하나의 사람으로

하나의 집단으로

하나의 국가로 응집한다.

언어는 사람과 참 비슷하다.

생각은

하나의 단어로

하나의 문장으로

하나의 글로 응집한다.

나눔손글씨 '대한민국 열사체' | 대한민국을 아름답게 하는 것은 나로부터 시작됩니다. 찬란한 우리 민족의 정체성을 우아하고, 강인하며, 올곧게 표현했습니다.

Monologue | 슬럼프

글을 쓸 때 슬럼프가 생긴다면 이유는 하나다. 단순히 글쓰기에만 집중했기 때문이다. 지금 쓰고 있는 내용을 초월하여 글을 쓴다는 행위 자체에 대한 탐구가 필요하다. 인간이 아이디어를 얻고 그것을 표현하는 사이클에 대한 공학(工學)을 밝혀내야 한다. 근데 과연 글쓰기만 그럴까?

나눔손글씨 '하나손글씨' | ㅊㅎ의 뾰족함, ㅇㅇㄹ의 둥글함이 저와 닮았어요.
글씨를 보면 그 사람의 성격을 알 수 있다죠? 저는 무심하지만 따뜻한 성격이에요.

5. 탄력 기구 (the Transition Zone)

터널의 포탈에서부터 터널 본체로 들어가는 구간으로, 차량이나 기차가 터널에 진입하기 위한 부분입니다.

이 구간에서 터널의 기하학적인 특성에 맞게 차량이나 기차의 속도와 방향을 조절할 수 있습니다.

Dialogue | 그림

송아윤 宋娥贇 | 선생님, '글쓰기'란 무엇일까요?

박세욱 朴世旭 | 글은 '그림'과 닮았어요. 그 이유는 묘사(描寫)의 성격도 있지만 '존재 자체가 존재의 의미'이기 때문이에요. 고흐 생전에 그의 그림은 어두침침해서 인기가 없었다고 해요. 하지만 지금은 세계에서 가장 비싼 그림들 사이에 들어가기도 하죠. 그림은 존재 자체로 자신의 가치를 증명해요. 그러한 의미에서 글쓰기는 '자신이 느낀 실체(實體)를 자신만의 화법(畫法)으로 옮기는 일'이라고 생각해요.

宋娥贇 | 그럼 '글을 쓰는 이유'는 자연스럽게 '글을 쓰기 위해서'라고 할 수 있겠군요. 그렇다면 글을 잘 쓰기 위해서는 어떻게 해야 할까요?

朴世旭 | 아이디어와 문장(文章)은 진화(進化)해요. 그 둘을 진화시키는 방법은 표현(表現)해보는 거예요. 표현에는 크게 2가지가 있어요. '결과물로서의 표현'과 '과정으로서의 표현'이죠. 최종 결과물은 결국 후자에서 나와요. 우리는 진실의 존재를 천재나 위대한 사상가를 통해서 배우죠. 그 무거운 분위기 속에서 '진실에 대한 탐구'는 마치 그들만의 전유물처럼

나눔손글씨 '칼국수' | 초보 작가입니다. 칼국수 메뉴판처럼 흔하고, 별거 아닌 글뿐이지만, 언젠가 따뜻하게 몸을 녹여주는 글을 쓰고 싶어요!

느껴져요. 하지만 선생님은 '자신의 표현에서 진실을 배우는 방법'을 알려주고 싶어요. 표현이 가능하다는 것은 존재할 수 있다는 거에요. 우리 안의 존재들은 종이처럼 구겨져 있어요. 표현을 통해서 하나씩 펼쳐나가는 거에요. 그렇게 펼쳐나가다 보면 문장에는 '클라이맥스'가 존재한다는 것을 깨닫게 돼요. 클라이맥스는 아이디어를 몇 글자로 표현할지 그리고 어떤 수사법(修辭法)을 사용할 지 등 주어진 문맥에서 가장 정답에 가까운 문장의 '정점(頂點)'을 말해요. 이러한 클라이맥스를 감지하고 이끌어내는 것이 글쓰기에서 가장 중요한 능력이라고 생각해요.

宋娥贇 | 그럼 아이디어는 어디에서 얻을 수 있을까요?

朴世旭 | 아이디어는 '초대받지 않은 손님' 같아요. 자신이 원할 때 우리를 방문하죠. 그는 '문장'을 차려입고 초인종(招人鐘)을 누릅니다. 이때 잘 맞이해주지 않으면 토라져요. 그러니 초인종이 울릴 때마다 부지런히 그의 초상화(肖像畵)를 그려줘야 해요. 그럼 그는 초상화를 충분히 지켜보다 구입 여부를 결정하죠. 마음에 들지 않으면 잠시 나갔다가 '더 멋진 아이디어'가 돼서 '더 멋진 문장'으로 갈아입고 돌아와요. 그러한 의미에서 글쓰기는 글을 '쓰는 것'이 아니라 '받아 적는 것'에 가까워요.

宋娥贇 | 흔히 '말을 잘한다' 혹은 '글을 잘 쓴다'고 하는데 실은 '발상(發想)이 좋다'가 정확한 표현이겠군요. 그럼 아이디어는 떠오르는 데로 적으면 될까요? 예를 들면 지금 써야 하는 주제와 관련 없는 생각들이 떠오르면 어떻게 할까요?

朴世旭 | 좋은 질문이에요! 하나의 문장은 빙산(氷山)의 일각(一角)과 같아요. 문장은 절대 혼자 있지 않아요. 자신을 큰 소리로 외쳐서 자신과 닮은 구석이 있는 문장들을 깨우죠. 그럼 다양한 주제의 다양한 문장들이 이해할 수 없는 순서로 하나둘씩 등장하게 돼요. 그리고 나선 주제에 맞게 각자 알아서 모이고 흩어지죠. 그래서 '발상의 순서'와 '정리의 순서'는 일치하지 않아요. 발상의 단계에선 그저 떠오르는 생각들을 하나씩 적어 나가면 돼요. 눈이 글쓰기의 주인이 되어선 안 되죠.

宋娥贊 | 최종 결과물만 신경쓰다보면 풍성한 내용이 나오기 어렵다는 말씀이군요!

朴世旭 | 정확해요! 글쓰기의 전체적인 메커니즘을 느끼고 활용해야 소재가 고갈되지 않으면서 통찰력 있는 글을 쓸 수 있어요.

宋娥贊 | 그럼 혹시 글을 쓸 때 사용하는 물건이 아이디어에도 영향을 미칠 수 있을까요?

朴世旭 | 좋은 질문이에요! 선생님은 노트북과 공책 두 개를 나란히 놓고 글을 써요. 인간은 참 심리(心理)적인 동물 같아요. 친한 친구 혹은 가족과 함께 있을 때는 이야기를 잘하다가도 낯선 사람과 있을 때는 얼어붙죠. 물건에 대한 감성(感性)도 이와 닮았어요. 공책은 선생님에게 '친구' 같아요. 꼭 멋지고 완성된 이야기를 하지 않아도 돼요. 글씨를 잘 쓰던 못 쓰던 있는 그대로의 '완벽한 자유(自由)'를 느끼게 해줘요. 거기

에서 '완벽한 발상(發想)'이 나와요. 그래서 아주 사소한 감상(感想)이나 아이디어라도 이야기해 주고 싶어요. 그리고 나서 노트북으로 정리해요. 노트북은 공책만큼 편안한 물건은 아니지만 '저금통'처럼 생각을 안전하게 모아줘요. 참 신기하게도 글로 잘 정리해놓으면 어느새 신념(信念)이 되어있어요.

宋娥贊 | 저도 동감해요. 저에게도 펜과 공책은 제 안의 깊숙한 진실을 꺼내 주는 친구 같은 물건이에요. 그리고 글을 쓰실 때 '비유(比喩)'를 자주 사용하시는데 그 이유가 궁금해요.

朴世旭 | 비유는 '엑스레이 촬영' 같아요. 비유를 통해서 어떤 대상의 내부를 들여다볼 수 있지만 모든 것이 보이진 않아요. 비유에 사용된 '소재의 특성' 만큼 볼 수 있어요. 예를 들어 글을 '검은 틈'으로 비유하면 그 틈에서 흑백 영화(黑白映畫)가 아주 희미하게 상영(上映)되기 시작하면서 '글의 영화적인 성격'을 보여 주죠. 글을 '검은 빛'에 비유하면 '글을 통해 얻는 깨달음'을 역설적으로 표현할 수 있어요. 비유의 소재를 바꾸는 만큼 대상의 다양한 특성을 관찰할 수 있어요. 그리고 글쓰기는 '전화 통화' 같기도 해요.

宋娥贊 | 전화 통화요?

朴世旭 | 네. 우리나라 글쓰기 교육은 '창의력'이 아닌 '조건에 근거한 정확성'에만 점수를 주기 때문에 자유를 장려하지 않아요. 하지만 선생님은

'가장 자유로울 때 가장 정확할 수 있다'고 믿어요. 글쓰기의 시작과 끝은 느낀 바를 그 모습 그대로 그때 그 자리에서 그려내는 것에 있어요. 그렇다고 언어가 단순히 무언가의 '그림자'는 아니에요. 자신의 언어는 자신보다 더 멋질 수도 혹은 더 못날 수도 있는 '사람 같은 그림자'에요. 그 그림자의 동반자(同伴者)가 되어보세요. 그 그림자가 이끄는 더 멋진 곳으로 따라가 보세요. 그러다 보면 어느새 그 그림자와 닮은 '더 멋진 자기 자신'을 발견하게 될 거예요. 그러한 '창의(創意)적인 순종(順從)'에서 "자유(自由)"를 배우게 된다고 믿어요. 자신의 청렴함(integrity)을 그려내는데 매진(邁進)하다보면 어느 날 문득 천재적인 전략으로 오해받는 천재들의 '순수한 목소리'가 들리기 시작할 거에요.

宋娥贇 | 저도 그들의 순수함에 공감할 수 있는 날이 왔으면 좋겠네요:) 선생님, 마지막으로 해주실 말씀이 있으실까요?

朴世旭 | 글쓰기는 지(知)적인 이미지가 강한데 실은 호흡(呼吸)과 발성(發聲)에 더 가까워요. 발성을 제대로 터득하지 않으면 노래할 때 목이 아프듯이 글쓰기 또한 마찬가지에요. 마지막으로 '사랑'이 느껴졌으면 좋겠어요. 매번 따뜻하고 아름다운 이야기를 할 수는 없어요. 다만, 우리는 냉소를 표해도 그게 따뜻한 마음에서 온 건지 차가운 마음에서 온 건지 느낄 수 있어요. 최근에 몸이 안좋아 CT 촬영을 하면서 알게된 건데 폐(肺)를 찍으면 안에 공기 밖에 없어서 검정색으로 보인다고 하시더라구요. 선생님은 여러분의 글이 사람들의 '숨'이 되어 주었으면 좋겠어요.

Monologue | 잠자리채

사람들은 음악을 듣고 장르를 규정하려 한다. 뮤지션은 그러한 구속(拘束)을 불편해하고 뮤지션을 구속한 리스너는 자유(自由)를 느낀다. 반대로 장르를 규정하지 못한 리스너는 구속감을 느끼고 뮤지션은 자유를 느낀다. 하지만 뮤지션도 자신이 느낀 본질을 음악으로 구속하여 자유를 느꼈다. 결국 자유는 구속이 허락하는 걸까? 인간이 언어를 사용하는 이유는 뭘까? 언어는 자유를 느끼기 위한 구속의 도구일까? 왜 어린아이는 잠자리를 잡을까? 왜 어린아이는 잠자리를 채집통에 가두지 않으면 자유로움을 느낄 수 없는 걸까?

나눔손글씨 '달의궤도' | 안녕하세요, 이달의 소녀 희진입니다.
팬분들께서 좋아해주시는 손편지를 자주 쓰지 못하는 미안한 마음에 참여하게 되었습니다.

Monologue | 언어 능력

언어 능력은 언어와 별 관련이 없다.

태도가 곧 언어다.

나눔손글씨 '혜준체' | 할머니와 참여하면서 엄청 깔깔 웃었네요.
결혼 전 좋은 추억 만들 수 있게 해주셔서 감사합니다. 평범한 할머니와 손녀의 글씨체 :)

Monologue 1 언어교육

사람이 말 위에 올라타서 어디론가 향한다면,

그것은 사람의 의지인가 아니면 말의 의지인가?

나눔손글씨 '정은체' | 나이 50에도 여전히 그 옛날 연애편지에서 보았던 그 글씨를 그대로 쓰고 있어, 설레는 마음으로 아내의 손글씨를 공모합니다.

eTunneLight

Monologue | 평형대

표현을할지아니면그냥내버려둘지평형대위에서중심을눈느낌이다

나눔손글씨 '고려글꼴' | 고려인으로서 모든 고려인들이 한글이라는 모국어를 더 많이 배우고 익히는 데 도움이 되는 고려글꼴이 되었으면 합니다.

Monologue | 꼭 전하고 싶었던 말

나는 한 유튜버의 라이브 방송에 전화 연결로 출연한 적이 있다. 잠결에 그 사람에 대한 중요한 아이디어가 떠올라서 말해주고 싶었는데 마침 그 유튜버가 라이브 방송을 하고 있었고 우연히 전화 통화를 할 기회가 생겼다. 망설이다가 전화를 걸었는데 당황한 나머지 2번 연속 통화가 실패했고 세 번째 시도만에 겨우 연결됐다. 우리는 두서없이 이야기를 나눴다. 그러다가 적당한 타이밍에 잠결에 떠올랐던 그 중요한 아이디어를 용기 있게 전했고 정말 꿈이 이뤄지는 느낌이 들었다. 그러고 나서 다음번에 올라온 영상을 봤는데 "팬분들 항상 사랑하고 감사드립니다"라는 말을 맨 처음에 했다.

나눔손글씨 '암스테르담' | 사랑하는 이가 한글을 배우고 있어요.
읽기 쉽게 자음과 모음을 써줍니다. 언어와 문화를 넘는 글씨를 나누고 싶어요.

Monologue | 무명(無名)

예술은 어디에나 존재할 수 있다. 나의 감정을 정면으로 마주하고 그것을 나만의 언어로 담아내려는 노력이 진정한 삶의 예술이다. 하지만 '예술(藝術)'이라는 말이 너무나도 거창한 나머지 발걸음이 멈춰섰다. '본질(本質)' 그 자체만을 위해 고민하고 움직이는 모습에 굳이 이름을 붙이지 말자. 우리의 아름다운 모습은 이름을 원하지 않는다.

나눔손글씨 '귀리의 일기' | 특별한 사람이 되고자 필기했던 나는 반복되는 하루를 끄적이는 어른이 됐다. 변하지 않은 글씨체로 어쩌면 많이 달라진 삶을 기록해본다.

Monologue 1 요즘 무당

'나만이 낼 수 있는 느낌' 같은 건 사실 없다. 그러한 의미에서 개성(個性)은 환상(幻想)이다. 하지만 눈 가리고 아웅 하는 그 소유욕은 오히려 많은 사람들의 목소리를 더욱 진하게 그려낸다. 결국 인간의 단면(單面)을 대표할 수밖에 없는 예술가의 필연이 예술(藝術)의 실체이다. 표현을 잘하기 때문에 예술가에게 대표할 자격을 맡긴 것이다. 예술은 모두의 목소리를 대변(代辯) 해주는 성스러운 의식(儀式)이다.

6. 터널 본체 (the Tunnel Bore)

터널의 실제 내부 부분으로, 지하를 통과하는 부분입니다. 터널의 크기와 형태는 통행 수단과 목적에 따라 다양합니다.

Dialogue | 자연(自然) 낚시꾼과 빙판 그리고 물고기

전정훈 田政訓 | 선생님, 자연스러운 게 중요하다고 하잖아요? '자연스러움'이란 무엇일까요?

박세욱 朴世旭 | 좋은 질문이에요! 그 질문에 대한 답은 예술과 깊은 관련이 있다고 생각해요. 예술 작품을 감상하다 보면 '도대체 무슨 소리를 듣고 싶어서 만든 걸까?' 싶은 작품도 있어요.

田政訓 | 그건 어떤 작품일까요?

朴世旭 | 너무 욕심(欲心)을 부린 작품이죠. 감상하는 도중에 '나 정말 잘하지?'라고 자랑하는 듯한 느낌이 들어요. 예술에는 야망(野望)과 자연스러움이 공존(共存)해요. 그래서 아름답게 보이기 위한 노력도 중요하지만 '자랑에 가까운 예술'은 욕심에게 속은 거예요. 단순히 잘 하는 게 '예술의 본질'은 아니니까요.

田政訓 | 그럼 선생님께서는 예술이 무엇이라고 생각하시나요?

나눔손글씨 '한윤체' | 건설노동자입니다. 투박하지만 저도 잘 쓸 수 있다는 걸 4살 아들에게 보여주고 싶습니다. 아빠를 자랑스러워하길 빌며...

朴世旭 | 예술은 '자신이 할 수 있는 이야기'를 자연스럽게 나누는 거예요. 자신이 잡은 물고기를 사람들에게 보여주는 것과 같죠. 자연스러움이란 '물고기가 미끼를 물게 되는 순간'과 닮았어요. 낚시꾼이 빙판 위에서 물고기를 기다리고 있는 풍경을 상상해 보세요. 낚시꾼은 빙판을 깨고 그 아래로 미끼를 던집니다. 하지만 그렇다고 꼭 물고기가 그 미끼를 무는 것은 아니죠. 그냥 지나칠 수도 있고 어느 정도 관심을 보이다가 도망갈 수도 있어요. 근데 그러다가 갑자기...

田政訓 | '확' 미끼를 물 수도 있죠!

朴世旭 | 맞아요! 오묘한 설명이지만 선생님은 그게 바로 '자연스러움'이라고 생각해요. 그때 낚시꾼은 기다렸다는 듯이 낚싯줄을 잡아당기죠.

田政訓 | 그러고 보니 사람들은 자연스러운 것을 보면 본능(本能)적으로 끌어당기는 것 같아요.

朴世旭 | 맞아요! 그래서 선생님도 좋은 아이디어가 나오면 바로 펜을 꺼내 얼른 공책에다 적어봐요. 선생님은 자신이 그 풍경 속의 낚시꾼인 줄 알았어요. 하지만 알고 보니 선생님 안에 자연이 있었어요.

Monologue 1 점

우리는 종종 단순히 '점' 하나를 찍었을 뿐인데 그것이 몇 천만원 가치의 예술작품이라는 뉴스를 접하곤 한다. 하지만 이게 꼭 예술에서만 존재하는 메커니즘은 아니라고 생각한다. 내가 유치원을 다닐 때 아이들에게 말을 막하는 것으로 유명한 선생님이 한 분 계셨다. 하루는 내가 무슨 바람이 들었는지 검은색 크레파스로 주구장창 비행기를 그렸는데 그걸 그 선생님께 보여드렸다. 그랬더니 시큰둥한 반응이었지만 그래도 봐주는 척이라도 해주셨다. 그렇게 몇 장을 더 그리고 보여주다가 그나마 가장 괜찮은 그림이 나왔고 기쁜 마음에 그 그림을 선생님께 보여드렸다. 그랬더니 이번에는 '그나마 제일 낫네'라는 표정으로 반응해 주셨는데 그때 이후로 나는 그림을 미친 듯이 그리기 시작했다. 그리고 미술시간만 되면 친구들이 내 자리에 와서 나의 그림을 구경했다. 초등학교 시절에는 나는 온통 미술 생각뿐이었고 그때 내 꿈은 만화가였다. 유치원 시절 그때 그 선생님의 시큰둥한 반응은 어쩌면 나에게 '점'이었던 것 같다.

나눔손글씨 '또박또박' | 저는 초등학교 3학년이에요.
완전 잘 쓰진 않았지만 잘 봐주셨으면 좋겠네요! 잘 안 쓰는 글자를 써보니 힘드네요. 감사합니다.

Monologue | 괜한 짓

바보가 있다. 전후좌우 보지 않고 달려드는 바보가 있다. 남들은 신경 쓰지 않고 자신만 돋보이면 그만인 바보가 있다. 부딪히고 괴롭힘 당해봐야 깨닫는 바보가 있다. 나는 그 바보에게 다가갔다. 알고보니 그 바보 안에는 '씨앗'이 있었다. 나는 한 번도 그 씨앗을 제대로 보려한 적이 없었다. 나는 그 씨앗을 인정해주었다. 나는 또 괜한 짓을 했다.

나눔손글씨 '다시 시작해' | 28세. 작가로 새로운 삶을 준비합니다.
늦은 건 아닐까 두려운 출발점에서, 새롭게 출발하는 이들에게 희망이 되길 기대합니다.

Monologue 1 '나'라는 작품

예술가가 자신의 작품을 만들면 그것의 가치를 대략 50% 정도 느끼고 관객은 정말 많으면 그것의 절반인 25% 정도를 느끼게 된다. 그래서 예술가는 자신이 느끼는 만큼 관객이 느껴 주길 바라면 안 된다. 자신의 작품에 대해서 남들이 어떻게 생각하는지 휘둘리기 보다 본인 작품의 진정한 가치를 더 탐구하면서 자신의 작품을 사랑할 줄 알아야 한다. 그렇게 자신의 작품에 깊게 빠져있다 보면 관객 또한 그 작품에 대해서 좀 더 들여다보려 할 것이다. 그 과정에서 나머지 50%의 무한한 실체가 서서히 그 모습을 드러낼 것이다. 나만의 '소용돌이'를 만들면 되는 것이다. 하지만 자기 자신에 대해서도 그럴 줄 알아야 하는 게 아닐까? 낮은 자존감은 말 그대로 '감(感)'일 뿐이지 그게 실체는 아니다. 자신과 자신의 작품을 대하는 태도는 다르지 않다고 생각한다. '나' 또한 작품이다.

Monologue 1 블랙홀

사람은 누구나 마음 속에 약간의 나쁜 마음을 가지고 산다. 하지만 악마를 만나게 되면 그 나쁜 마음을 악마에게 모두 빼앗긴다. 마치 블랙홀에 빨려들어가듯이 말이다. 나쁜 마음 뿐만이 아니다. 블랙홀은 어디에나 존재한다. 인간은 이러한 블랙홀을 감지하지만 새삼스레 놀라기도 한다. 어쩌면 인간은 블랙홀의 존재에 익숙함을 느끼는 건 아닐까? 그러한 의미에서 인간의 정신(精神)을 지배하는 건 블랙홀이 아닐까? 고함을 치는 이유는 사람들을 블랙홀 안에서 꺼내기 위함이 아닐까?

eTunneLight

Monologue | 프렉탈 구조

기 다 려 주 지 않 을 것 이 다 기 다 려 주 지 않 을 것 이 다

분명 나를 분명 나를 분명 나를 분명 나를

다른 누군가가 다른 누군가가

미래에 미래에

기다려주지 않으면

누군가를

내가

지금

나눔손글씨 '야근하는 김주임' | 2년차 김 주임은 오늘도 야근 중입니다.
내일도 야근예약인 김주임들을 위해 제 손글씨가 위로와 친구가 되었으면 합니다.

Monologue | 상식(常識)

'노력(努力)과 재능(才能) 두가지 중에서 무엇이 더 중요한가요?' 이 질문을 들을 때마다 '무슨 생각을 하면서 스트레칭을 하느냐?'고 물었을 때의 김연아 선수의 대답(對答)이 생각난다.

"연습할 때 무슨 생각을 해.... 그냥 하는 거지."

나눔손글씨 '백의의 천사' | 저는 환자분들 주사를 꽂은 부위에 또박또박 글씨를 써드려요. 예쁜 글씨를 보면 행복해지잖아요. 제 글씨로 행복을 같이 나누고 싶어요.

Monologue 1 위로

우리는 가끔 낯선 곳에서

그곳에 사는 사람인 척 행동한다.

이방인처럼 보이기 싫어서 일까?

권위를 누리고 싶은 걸까?

아니면 낯선 포근함에 그저 안기고 싶은 걸까?

나눔손글씨 '북극성' | 내게 한없이 관대한 남자를 만나 사랑했고, 아직 사랑합니다.
내 하늘에서 늘 반짝이는 나의 북극성. 그의 글씨를 남기고 싶습니다.

Monologue | 슬픈 운명

단어는 외로운 섬이다.

서로가 영원히 닿을 수 없는 외로운 섬이다.

Words are lonely islands.

Lonely islands where we can never reach each other.

나눔손글씨 '나무정원' | 세월 따라 눈이 나빠진 아내가 당신 글씨는 선명해서 읽기 좋으니 응모해보라 합니다. 아내가 건강하길 바라며 사랑을 담아...

Monologue | 구원

나는 신을 믿지 않지만

신을 믿는 사람들이 점점 줄어들고 있다.

요즘 부쩍 유명인에게 악플을 달거나 시비를 거는 사람들이 많아졌다.

다들 그렇게 '기도(氣道)'를 막고 있다.

나눔손글씨 '끄트머리체' | 세상 모든 일의 끝을 알 수 없듯, 지금과 다른 끝의 기울기를 가졌으면 하는 바람을 담아 쓴 글씨체입니다.

Monologue | 문학

새끼가 본능적으로 어미의 젖을 찾듯이

인간은 주인이 없는 언어에서 신(神)을 찾는다.

Monologue | 왠지

어떤 여배우가 성형해서 작품이 대성공을 했다고 한다.

인터뷰하는 모습에서 순간순간 왠지 모를 순박함이 느껴졌다.

왠지 나는 그게 좋았다.

나눔손글씨 '딸에게 엄마가' | 옛날에는 메모장에 할 말을 써서 냉장고에 붙였던 추억이 있어요.
이제는 다 커버린 딸이 어쩌면 잊었을지 모르는 엄마의 글씨체.

eTunneLight

Monologue | 누명

오늘도 악마는 천사가 되려고 안간힘을 쓴다.

불쑥 불쑥 튀어나오는 악마 같은 생각을 쑤셔 넣으면서 천사들에게 다가간다.

천사들 앞에 서는 건 언제나 어색하다.

근데 갑자기 저기 한 못된 천사가 악마에게 시비를 걸어온다.

악마는 또 한 바탕의 누명을 뒤집어쓰게 생겼다.

나눔손글씨 '둥근인연' | 무서운 인상이란 소리를 많이 듣는 저는 사람들에게 손글씨로 먼저 다가갑니다.
제 글씨가 소중한 인연을 잇는 글씨가 되었으면 합니다.

Monologue | To Myself

이건 굉장히 우스운 이야기지만 내가 가장 힘들었을 때 나도 모르게 생각났던 사람은 '박세욱 선생님'이었다. 박세욱 선생님은 정말 이상한 사람이다. 그 사람은 굉장히 게으르고 소통도 잘 안되고 가끔 말도 막한다. 그리고 무엇보다 정말 못 생겼다. 그 밖에도 수상한 점이 한 두가지가 아니다. 그럼에도 불구하고 내가 힘들 때 믿고 의지하고 싶었던 사람은 우습게도 그 사람이었다. 나는 거기에서 깨달은 게 있다. 사람들이 꼭 '진짜배기'만 찾는 건 아니라는 것이다. 위대한 예술가들은 모두 하나같이 입을 모아 이야기한다. 창작(創作)은 그저 들키지 않은 모방(模倣)일 뿐이라고. 어쩌면 진짜배기 또한 창작과 마찬가지 아닐까? 아무튼 정말 이상한 사람이다.

나눔손글씨 '손편지체' | 의미 있는 날 가족들과 편지를 주고받습니다.
제 글씨가 따뜻한 마음을 주고받는데 쓰이기를 바라봅니다.

7. 내부 마감 및 표면 소재

(the Interior Finishes and Surface Materials)

터널 내부의 벽면, 천장, 바닥은 내구성이 있고 화재에 강한 소재로 마감돼 있습니다. 또한 반사 및 방향 지시를 위한 표면 처리가 되어 있어 운전자가 더 잘 볼 수 있도록 도움을 줍니다.

Dialogue | 삶은 계란

남보늬 | 선생님, 저는 암기하는 게 너무 싫어요. 특히 영어 단어요... 그리고 암기가 과연 올바른 학습 방법인지도 의문이 들어요...

박세욱 | 혹시 '삶'이 영어로 뭔지 알고 있나요?

남보늬 | 그럼요! 기본 단어잖아요. 삶은 영어로 'life'죠.

박세욱 | 땡! 틀렸습니다. 삶은 '계란'이에요.

남보늬 | ....

박세욱 | 농담이에요. 실은 선생님도 암기가 자연스러운 방법은 아니라고 생각해요.

남보늬 | 오! 그럼 역시 암기는 잘못된 방법이군요!

박세욱 | 음... 혹시 영어를 좋아하나요?

남보늬 | 음... 싫어하지는 않아요... 다만 암기가 너무 싫을 뿐이에요. 저는 영어 소설 읽는 것도 좋아하고 원어민이랑 대화하는 것도 좋아하고 글쓰기도 좋아해요.

나눔손글씨 '의미있는 한글' | 고등학교 교사입니다.
보드라운 글꼴로 아이들에게 학습지 만들어주고 싶어요. 선생님은 너희를 무척 사랑하고 있다고.

박세욱 | 오! 선생님도 그래요^^

남보늬 | 그럼 선생님도 암기를 싫어하시나요?

박세욱 | 그럼요. 선생님은 대학교 4학년 때 일본 신문 기사를 통째로 외워서 암송하는 수업이 있었는데 그때 정말 스트레스를 많이 받았어요. 교수님은 통암기를 강조하셨고 외국어를 이해 중심으로만 학습하려는 선생님의 태도에 '게으르다'고 핀잔을 주셨죠. 그때 거만하게도 교수님의 말씀을 귀담아듣지 않았어요. 원서(原書)를 읽으면서 어휘를 문맥 속에서 받아들이고 모르면 추론해 내는 게 진정한 학습이라고 생각했죠.

남보늬 | 저도 그렇게 생각해요! 단순 암기보다는 문맥 속에서 자연스럽게 의미를 받아들이는 게 진정한 학습인 것 같아요!

박세욱 | 맞아요! 그게 바로 학습(學習)의 본질(本質)이에요. 주입식으로 암기하는 것이 아니라 스스로 깨우쳐서 알고, 누가 시켜서 하는 게 아니라 재미있어서 주도(主導)적으로 하고, 울타리 안에 머무는 것이 아니라 미지(未知)의 영역을 탐험(探險)하는 것이 학습의 본질이죠. 그래서 선생님은 그러한 본질을 제외한 모든 것을 '가짜'라고 생각했어요. 혹시 이솝 우화 중에서 '포도밭의 보물'이라는 이야기를 알고 있나요?

남보늬 | 네! 게으른 아들 셋을 둔 농부가 자신이 죽은 뒤에 세 아들이 포도밭 농사를 망칠 것을 걱정해서 밭에 보물을 숨겨두었다고 거짓말을 한 이야기죠?

박세욱 | 맞아요! 그래서 세 아들은 보물을 찾기 위해 열심히 땅을 팠지만 역시나 보물은 나오지 않았죠. 하지만 열심히 포도밭을 일구다보니 농사는 성공(成功)이었고 그렇게 아버지의 깊은 뜻을 이해하고 교훈을 얻는다는 내용이에요. 이 우화를 통해서 선생님에게 부족한 점이 무엇인지 알게 됐어요.

남보늬 | 그게 뭔가요?

박세욱 | 바로 '아버지의 꾀'에요. 사실 아버지는 세 아들에게 거짓말을 했어요. 그 점에선 교육적이지 않죠. 하지만 위대한 교육에는 아버지의 꾀와 같은 '트릭(trick)'이 항상 존재해왔다고 믿어요. '비(非)본질적인 방법'이 반드시 동원되어야 합니다.

남보늬 | 그럼 비본질적인 방법은 무엇인가요?

박세욱 | 아까 이야기했던 방법의 정반대를 의미해요. 스스로 깨우쳐서 아는 게 아니라 주입식으로 암기하는 것이고, 재미있어서 주도적으로 하는 게 아니라 시켜서 하는 것이고, 미지의 영역을 탐험하는 것이 아니라 울타리 안에 머무는 거에요. 역설적이게도 이러한 비본질이 결국 '본질의 밑바탕'이 되어준다고 믿어요. 마치 흰자가 노른자를 감싸고 있듯이 말이죠. 선생님은 보늬가 소중한 것을 지킬 줄 아는 지혜로운 사람이 되었으면 좋겠어요.

Monologue | 푸딩

나는 중학교 2학년 때 혼자서 도쿄로 배낭여행을 갔다. 지금와서 생각해봐도 사춘기가 정말 심하게 왔던 것 같다. 왜냐하면 그 해만 도쿄를 2번이나 갔기 때문이다. 그 당시에 나는 일본에 가면 꼭 해보고 싶었던 게 몇 가지 있었다. 그중 하나가 뜨거운 물에 몸을 담근 상태로 냉장고에서 막 꺼낸 푸딩을 먹는 거였다. 여행 이틀째 되던 날 집으로 가는 길에 편의점에 들러서 푸딩을 샀다. 호텔로 돌아와서 냉장고에 푸딩을 넣었다. 욕조에 뜨거운 물을 받으면서 TV를 봤다. 지금도 그렇지만 그 당시 일본 방송에는 요리 방송이 너무 많았다. 요리 먹기전에 감동의 사연이 나오고 그 추억을 회상하면서 눈물 젖은 요리를 먹는다. 아무튼 그러다가 갑자기 비행기 표가 잘 있는지 궁금해졌다. 그래서 찾아봤는데 없었다. 당황해서 호텔 로비로 내려갔다. 공항에 전화를 걸어보라고 했다. 전화를 받지 않았다. 대사관에 전화를 걸어봤다. 해줄 수 있는 게 없단다. 엄마한테 전화를 걸었다. 욕먹었다. 아빠한테는 말하지 말라고 했다. 내 방으로 돌아왔다. 나는 침대 위에 털썩 앉았다. 푸딩을 먹었다.

나눔손글씨 '미니 손글씨' | 글씨를 쓸 때 반대편 손으로 가리는 버릇이 있었습니다.
저처럼 자존감이 낮은 사람도 자신감을 갖고 이야기를 써가길 바랍니다.

Monologue | 나의 훌륭한 프로듀서

고통(苦痛)은 예술가(藝術家)에게 에너지다. 예술가는 자신의 아픔을 치유(治癒)하기 위해 약(藥)을 만든다. 아픔은 아름다움으로 가는 티켓이다. 아픔과 아름다움은 동전의 양면(兩面)과 같고 그 양면성을 풀어내려는 거만(倨慢)은 세워진 동전 만큼이나 위태(危殆)롭다. 아름다움으로 향하는 여정에서, 나의 눈은 지혜와 어리석음이 뒤섞여 온전히 믿을 수 없고 나의 귀는 언제라도 나를 떠날 수 있는 매정한 관객(觀客) 같다. 그러니 그들을 나의 목소리로 붙잡아야 한다. 그 실랑이는 언제나 괴롭다. 마침내 그 둘이 납득(納得)할 때 비로소 무언가가 완성(完成)된다. 그럴때마다 괴로움은 크게 박수를 쳐준다. 괴로움은 언제나 나의 훌륭한 프로듀서이다.

나눔손글씨 '코코체' | 평범한 30대 여성 직장인입니다.
내 손글씨도 의미가 있길.. 나도 조금은 특별할 수 있기를 바라는 작은 소망의 글씨체입니다.

Monologue | 손바닥

손바닥으로 태양을 가릴 수 없다고 하지만 인간은 손바닥으로 태양을 가리는 존재다.

나눔손글씨 '따악단단' | 따돌림을 당하고 외로울 때마다 잊기 위해 책을 필사했다.
외롭고 혼자라고 느끼는 사람들에게 단단해질 수 있다는 응원을 보내고 싶다.

Monologue | 기대주의 부진

부모님들은 자신의 아이가 아주 어렸을 때 사소한 말이나 행동에도 '특별함'을 느끼신다. 평소에 별로 관심 없던 노래여도 좋아하는 사람이 그 노래를 좋아하면 그 노래가 특별해진다. 축구에서 '모두의 기대주'인 선수가 부진하면 그날 활약했던 선수에 대한 이야기는 하지 않고 모두 '기대주의 부진'에 대해서만 이야기한다.

나눔손글씨 '사랑해 아들' | 아들이 군대에 있는 동안 주고받은 편지에 추억이 가득합니다.
손글씨로 모든 엄마들의 사랑을 표현하였습니다.

Monologue | 성배와 콩나물 값 계산

종교의 핵심은 신의 실존(實存) 여부가 아니라

'인간은 신을 필요로 하는 동물'이란 깨달음이다.

교육의 핵심은 실용성(實用性)이 아니라

'인간은 교육을 필요로 하는 동물'이란 깨달음이다.

나눔손글씨 '효남 늘 화이팅' | 17살 사고로 모든 걸 왼손으로 쓰고 있어요.
지금도 불편하지만 글을 너무 사랑하고 글 쓰는 게 너무 좋아요. 한 손으로 도전해봅니다.

eTunneLight

Monologue | 아름다운 왜곡

그 사람에게 제가 그렇게 기억되는 게 정답이라면 그렇게

기

억

될

게

요

나눔손글씨 '꽃내음' | 저는 아무런 연고가 없는 누군가의 삶의 연장선으로 이끌어가는 간호사입니다. 제 글씨가 꽃내음처럼 희망이 되기를 소망합니다.

Monologue | 성장 2

사람에서

하고 신이

되려고 되려고

사람이 한다

인간은 .

나눔손글씨 '잘하고 있어' | 어릴 적 외모 차별을 심하게 받았습니다.
저와 같은 사람이 없도록 봉사하며 살고 있어요. 제 글씨가 따뜻함을 주었으면 좋겠습니다.

8. 감속 장치 및 안전 구조물

(the Deceleration Devices and Safety Structures)

터널 내부에는 차량이나 기차의 급격한 정지를 막기 위한 감속 장치와 안전 구조물이 설치돼 있습니다. 이는 교통사고나 비상 상황 시에 안전을 보장하는 데 기여합니다.

Dialogue | 신(神)

원정연 元挺淵 | 선생님, '신(神)의 경지(境地)에 이른다'는 건 무엇일까요?

박세욱 朴世旭 | 음... 인간(人間)으로 태어나서 신(神)이 된다는 게 아닐까요?

元挺淵 | 음... 인간에서 신이 된다는 건 어떤 의미인가요?

朴世旭 | 우선, 인간은 유능(有能)해지려고 합니다. 하지만 유능해지다보면 유능함으로 모든 것을 해결하려는 오만(傲慢)이 생기죠. 선생님은 이걸 '황금 국자의 함정'이라고 불러요.

元挺淵 | 황금 국자의 함정이요?

朴世旭 | 네. 비유하자면 요리사의 조리도구 중 하나가 '황금국자'인 거예요. 그렇게 되면 요리사는 '황금 국자'를 자랑하고 싶어서 안달이 납니다. 기회만 생기면 황금 국자를 꺼내죠. 심지어 계량컵이 필요할 때도, 뒤집개가 필요할 때도, 거품기가 필요할 때도 말이죠. 모든 것을 황금 국자로 해결하려는 허영심은 현실에서도 마찬가지에요. 본인의 외모가 뛰어나면 외모로, 실력이 뛰어나면 실력으로, 사

나눔손글씨 '동화또박' | 동화를 만드는 꿈을 가지고 있습니다.
언젠가 제가 만든 글자로 예쁜 동화를 만들어 사람들의 마음을 따뜻하게 만들고 싶습니다.

교성이 뛰어나면 사교성으로, 인품이 뛰어나면 인품으로, 돈이 많으면 돈으로 모든 것을 해결하려고 하죠.

元挺淵 | 음... 그럼 어떻게 해야 할까요?

朴世旭 | 본인의 거품기가 아무리 초라해도 필요할 땐 꺼내서 사용해야합니다. 다른 도구들도 마찬가지에요. 재능(才能)의 힘은 무지막지해서 '블랙홀'처럼 주변의 모든 것을 빨아들여요. 그래서 거의 대부분 그 힘을 버티지 못하고 오만에 빠지게 되죠. 하지만 결국 자신의 한계(限界)와 마주할 날이 오게 될 거에요. 그리고 여전히 재능으로 그 한계를 극복할 수 있다고 믿을 거에요.

元挺淵 | 마치 손에든 황금 국자를 놓지 못하는 요리사와 비슷하군요.

朴世旭 | 그렇죠! 사실 그 요리사를 굉장히 어리석은 사람처럼 묘사했지만 누구나 황금에 마음을 빼앗기기 쉽다고 생각해요. 그러한 어리석음을 겪지 않고 바로 지혜(智慧)로 직행할 수 있다고 말하는 건 거짓말이에요. 오히려 황금에 더 이상 마음을 두지 않을 만큼 충분히 누리라고 말해주고 싶어요. 왜냐하면 '신(神)'은 황금에 관심이 없거든요.

Monologue | 편견

나는 키타노 타케시 감독의 영화 '하나비'를 감명(感銘) 깊게 보았다.

하나비(はなび)는 일본어로 '불꽃놀이'라는 뜻이다.

나는 감독이 왜 영화 제목을 '하나비'로 지었는지 생각해 보았다.

감독의 삶을 영화에 대입해보니 금방 퍼즐이 맞춰졌다.

알고보니 제목을 지은 사람은 감독이 아니었다.

Monologue | 편견 2

새우를 넣은 피자는 정말 딱 피자에 새우를 넣은 맛이 난다.

탕후루도 그럴 거라고 생각했다.

하지만 오산(誤算)이었다.

'번개 맛'이 났다.

나눔손글씨 '맛있는체' | 저는 영양사입니다.
메뉴표를 작성할 때 '어떤 글씨로 작성해야 가장 맛있어 보일까?'까지 고민하는 것을 아시나요?

Monologue \ 세포

인생은 자각몽(自覺夢)이다. 인간은 다른 동물들과 다르게 자신이 '인간이란 꿈' 속에 깨어있다는 것을 알고 있다. 그래서 그런지 다른 동물들을 '동물화(Animalization)'한다. 자신은 만물의 영장(靈長)이고 나머지는 동물(動物)로 간주한다. 하지만 이 개념은 인간들 사이에서도 유지된다. 잘 쳐줘야 '개' 정도로 봐주는 것 같다. 그중에는 '뱀'도 있고 '앵무새'도 있다. 거기에서 멈추지 않는다. 자신을 자연의 일부라고 생각하지 않고 자연을 정복하려 한다. 인간은 언제나 스스로 술래가 된다. 하지만 인간으로 태어났다고 모든 것을 인간으로 가져갈 필요는 없다. 인간은 인간이기 전에 "세포(細胞)"다. 세포는 깊게 생각하지 않는다. 도움이 되면 붙고 그렇지 않으면 끊는다. 좁아지는 '인간' 속에서 압사(壓死)당하지 않았으면 좋겠다. 인간은 그저 '하나의 큰 세포'일 뿐이다.

나눔손글씨 '세아체' | 방교 초등학교 2학년 2반 3번입니다.
엄마 아빠가 회사에서 제 정성스러운 글씨체로 행복하게 일했으면 좋겠습니다.

eTunneLight

Monologue | A4

두 장의 A4 용지가 있다. 이 둘은 절대로 똑같지 않다. 이 둘의 미세한 차이점을 '같다'라고 왜곡할 때부터 모든 것이 미세하게 틀어지기 시작한다.

나눔손글씨 '배은혜체' | 사무실에서 열심히 영수증을 붙이는 사람입니다 :)
영수증에 끄적인 것보다 정성스럽게 적은 저의 진짜 글씨체를 보고 싶어요.

Monologue 1 | 아니면 0

어떤 결정을 내릴 때 1의 차이로 무언가를 포기하고 다른 무언가를 택하곤 한다. 그래서 금방 뒤집힐 수 있는 것처럼 보인다. 하지만 '아쉬움'은 지독하리만큼 달콤한 환상이다. '운명'은 너무나도 압도적이고 지배적일 때도 있지만 깃털처럼 가볍고 희미할 때도 있다. 그래서 우리는 때로 '헤일'에 파괴되는 도시가 되기도 하고 '한 컵의 물'에 익사하는 벌레가 되기도 한다. 하지만 운명은 언제나 운명이었다. 운명은 단 한 번도 운명이 아니었던 적이 없다.

나눔손글씨 '미래나무' | 정규직으로 발걸음 뗀 사회 초년생입니다.
원하던 녹지 일을 하게 된 의미 있는 해입니다. 나무가 자라듯 성장하고 싶습니다.

Monologue | 투명인간

나의 꿈은 예술가로서 나의 우상에게 인정을 받고 명성을 얻는 것이다.

하지만 그보다 더 높은 꿈은 '그렇지 않아도 괜찮은 사람'이 되는 것이다.

나눔손글씨 '엄마사랑' | 엄마가 일 가시며 차려놓은 밥상에는 항상 손편지도 함께 있었어요.
사랑을 듬뿍 받은 글씨체가 널리 사랑을 퍼뜨리면 좋겠습니다.

Monologue | 튀어나온 못

한 세대씩 지나면서 한 끗 한 끗 나아지는 게 자연스러운 건데

내가 내 세대에서 너무 욕심을 부리고 있는 건 아닐까?

Monologue | 절대적 평등

인생은 불공평하다.

하지만 이것 하나만은 절대적으로 평등하다.

한 사람에게 딱 한 사람의 인생만 주어진다는 것.

다른 사람의 인생은 절대로 경험해 볼 수 없다.

다른 사람의 인생은 절대로 경험해 볼 수가 없다.

Monologue | 자신의 무대

예전에 한 오디션 서바이벌 프로그램에서 가수 '보아'가 참가자들을 관객석에 앉혀놓고 이런 말을 한 적이 있다. "우리는 평생 자신의 무대를 이 자리에서 볼 수 없다." 그 말을 듣는 순간 '지극히 당연한 말'이라고 생각했다. 하지만 이제야 그 말의 의미를 조금은 알 것 같다. 우리는 살면서 진정으로 멋진 분들을 몇몇 만나뵙곤 한다. 하지만 그분들은 '당신의 멋'을 진정으로 누리고 계실까? 왜 진정으로 멋진 분들은 '자신의 멋'에 별로 관심이 없으신 걸까? 나는 이제야 그 지극히 당연했던 말에 의문이 생겼다.

"왜 가수는 자신의 멋진 무대를 관객석에서 볼 수 없는 걸까?"

나눔손글씨 '아빠글씨' | 직업이 운전인 아빠는 손이 많이 거치십니다.
그 손으로 멋진 글씨를 쓰시는 우리 아빠! 멋진 아빠 인생 응원하고, 사랑합니다.

eTunneLight

Monologue | CCTV

원래 '지금의 나'는 지금 볼 수 없다.

나눔손글씨 '마고체' | 방송국에서 일하며, 카메라로 찍을 장면과 무대를 표현하는 작업은 여전히 연필로 합니다.
그 무대들을 만들었던 글씨입니다.

Monologue | 밑바닥

밑바닥을 겪어 본 사람들이 모두 최고가 되는 것은 아니지만

최고의 자리에 올라온 사람들은 하나같이 밑바닥을 겪어보았다.

나눔손글씨 '배짱체' | 암 투병생활에 잘 이겨내고 견뎌내고 있음에 감사하며 함께 희망을 나누며 감사를 나누고자 제 글씨를 소개합니다.

Monologue | 도미노

나는 어렸을 적부터 열등감이 많았다. 세상이 나를 무시하고 업신여겼다. 그 상처로 나는 소통하지 않게 되었다. 나는 인생을 혼자 살았다. 모든 것을 혼자의 힘으로 해결할 수 있는 것처럼 살았다. 하지만 갑자기 남의 도움이 필요해지면 당연하다는 듯이 요구했다. 도움을 받고 나서 '이 도움이 없었으면 어떡할 뻔했지?'라고 생각하지 않았다. 그리고 남의 도움이 필요 없어지면 다시 인생을 혼자 살았다. 자존감이 낮았던 만큼 내가 바랐던 건 순수한 애정과 사랑이라는 싸구려 명품이었다. 나는 항상 공허함을 느꼈다. 그 열등감을 풀기 위해서 나는 실력을 길렀다. 나는 사람들을 꺾어서 열등감을 해소했고 꺾지 못하면 비웃었다. 남들의 말을 들으려 하지 않았고 일방적으로 나를 주장했다. 비뚤어진 방법으로 열등감을 해소했고 공허함을 채웠다.

하지만 상대방을 향해서 날렸던 주먹은 다시 나에게 돌아왔다.

나는 그 주먹을 맞고 쓰러졌다.

나눔손글씨 '와일드' | 글쓰기를 좋아하는 복싱하는 남자. 거친 복서의 정성스러운 손글씨입니다.

9. 환기 시스템 (the Ventilation System)

터널 내부의 공기를 유지하고 순환시키기 위한 시스템으로, 화재와 같은 상황에서 공기의 흐름을 제어하고 터널 내의 환경을 안정화하는 역할을 합니다.

DIalogue | 불

류재언 **柳在彦** | 선생님, 저는 열정(熱情)이 과해서 문제인 것 같아요. 어떻게 하면 좋을까요?

박세욱 **朴世旭** | 열정적인 것은 참 멋지죠. 선생님은 주변에서 열정적이라는 말을 많이 들었던 것 같아요. 하지만 그럴 때마다 의아해했죠.

柳在彦 | 그 이유는 뭔가요?

朴世旭 | 아마도 그때는 가진 게 열정밖에 없었기 때문에 열정을 알아보지 못했던 것 같아요. 지금 와서 돌이켜보면 '그 뜨거웠던 열정이 주변 사람들을 다치게 했던 건 아니었을까?'하는 생각이 들어요.

柳在彦 | 주변 사람들의 열정이 부족했던 것은 아니었을까요?

朴世旭 | 아니요. 절대 그렇지 않아요. 다만, 선생님은 그때 열정을 다룰 수 있을 만큼 성숙하지 못했어요. 세상이 선생님의 불을 끄려 한다고 생각했어요. 그래서 그 불을 지키기 위해서 싸웠죠. 하지만 시간이 흐르면서 점차 그 불에 가려져 있던 것들이 보이기 시작했어요. 전에는 열정 하나로 살았다면 이제는 그렇지 않아요. 그래

나눔손글씨 '소방관의 기도' | 저는 소방관입니다.
소방관들의 안전과 행복을 위해 써봤습니다. 지금도 국민의 안전을 지키고 있을 소방관들을 응원합니다.

서 주변 사람들이 선생님의 열정을 꺾었다고 생각하지 않아요. 오히려 전체적인 균형을 잡아주었어요. 불을 다스릴 수 있는 '문법의 존재'를 알려주었어요.

柳在彦 | 문법이요?

朴世旭 | 네. '문법(Grammar)'은 단순히 규칙성을 따르는 학문이 아니에요. 규칙성 외에도 여러 가지 요소들을 종합적으로 고려하는 '정의(Justice)'에 가까워요. 열정 또한 '삶의 문법'에 있어서 하나의 요소에 불과하죠. 자신의 열정을 다스릴 수 있는 '자신의 문법'이 필요해요.

柳在彦 | 그럼 자신의 문법을 만들기 위해서는 어떻게 해야 할까요?

朴世旭 | '인생이라는 바다'는 결국 '하루라는 작은 병' 안에 담겨있다고 생각해요. 그 작은 병 안에서 '무언가'가 계속 번쩍일 거에요. 그때 보이는 모습에 집중하세요. 시간이 흐르면서 점점 자세해질 거에요. 그 안에서 '뜨거운 불'이 '따뜻한 빛'으로 바뀔 거에요.

Monologue | 구경

나는 항상 구경만 했던 것 같다.

편안한 분위기 속에서 즐거운 식사를 하는 가족의 모습을

둘만의 시간을 보내는 행복한 커플의 모습을

보고 싶었다고 눈시울을 붉히는 형제의 모습을

진심으로 걱정해주는 친구들의 모습을

제가 위의 것들을 누리지 못해서

다른 사람들의 사랑과 우정을 삐뚤게 봤어요.

하지만 이젠 더 이상 그러고 싶지 않아요.

아름답게 보고 싶어요.

나눔손글씨 '세화체' | 곧 결혼해요.

사랑의 다짐을 담아 글씨를 썼어요. 마음이 담긴 글씨가 널리 퍼져 사랑과 행복으로 가득했으면 좋겠습니다 ♥

Monologue | 부부싸움

내 성격은 참 피곤하다.

이론적으로는 참 꼼꼼한데 실전에서는 엄청 게으르다.

어디에서 많이 본 싸움이다.

나눔손글씨 '신혼부부' | 결혼한 지 40일 만에 장거리 부부가 되었어요.
신혼의 설렘과 그리움을 담아 한 글자 한 글자 써봤습니다. 보고 싶어 여보!

Monologue | 한 입 찬스

예능을 보면 맛있는 음식이 나왔을 때 게임을 통해서 누가 먹을지 정하곤 한다. 하지만 패자들이 너무 불쌍해보이면 그중 한 명을 '한 입 찬스'를 통해 특별히 구제해주기도 하는데 그 기회를 과도하게 살리다가 낭패를 보는 경우도 있다. 인생 또한 마찬가지 아닐까? 비판도 적당히 반성하다 넘기면 되고 칭찬도 적당히 즐기다가 넘기면 되지 않을까?

나눔손글씨 '범솜체' | 나이를 먹으니 글자가 동그래지더라고요.
글자는 사람 마음을 닮는다잖아요. 어른이 되면서 마음에 여유가 생긴 것 같아 좋습니다.

Monologue | 작은 글씨

연구 수업 중에 나의 칠판 글씨가 너무 크다는 소리를 들었다. 선임 강사분께서 작게 써도 충분히 보인다고 말씀해주셨다. 나의 글을 수정하면서 부사를 많이 지웠다. 부사를 붙이지 않아도 의미는 충분히 전달되었다. 나는 상대방의 말에 조금이라도 거짓이 섞여있으면 비웃었다. 하지만 내가 그 사람의 입장이 되어보니 나도 그 똑같은 거짓말을 하고 있었다. 작다고 미약한 게 아니었고 가볍다고 얕은 것도 아니었다. 또 정직하려고만 하는 마음은 결국 위선으로 이어진다는 것도 깨달았다. 나는 걱정에게 속고 있었다.

나눔손글씨 '부장님 눈치체' | 야근에 야근하는 직장인으로서 공모 마지막 날 눈치보면서 틈틈이 적은 글씨입니다.
작고 귀여운 월급을 기다리는 직장인 화이팅!

Monologue 1 추운동

인간은 추(錘)에 매달려 있다. 누군가 유난히 '겸손(謙遜)'을 논한다면 초라해질까봐 두려운 사람이고, '내 말을 들어주지 않는다'고 불평한다면 경청해본 적이 없는 사람이고, '배은망덕한 놈'이라고 비난한다면 배려하지 않는 사람이고, 유난히 당신을 치켜세운다면 자신이 가장 돋보이고 싶은 사람이고, 유난히 배려와 존중을 떠벌린다면 권력에 미친 사람이기 때문에 가장 조심해야 한다. 추의 폭은 서로 다르지만 점점 좁아진다. 추운동은 원점에서 시작하여 원점에서 끝이 난다.

나눔손글씨 '외할머니글씨' | 매일 한글을 적으며, 잊지 않으려 하시는 92세 외할머니 글씨입니다. 한글을 사랑하는 외할머니의 마음을 공유합니다.

Monologue | 이

인생을 살다보면

'이'를 꽉 물기도 하고

꽉 물었던 '이'를 풀기도 한다.

그렇게 인생을 잘게 부순다.

나눔손글씨 '무진장체' | 초단기 계약직으로 일하고 있는 장 아무개입니다. 일 끝나고 쉬는 시간에 적어보았어요. 무진장 정규직이 되고 싶은 마음을 담아…

Monologue | 걱정하지마

불안에 떨지 않아도 돼.

오늘까지는 푹 쉬어!

나눔손글씨 '우리딸 손글씨' | 엄마가 고객님들께 드릴 몇백 장의 손글씨를 쓰시느라 팔도, 손도 아프세요. 클로바의 힘으로 엄마의 손이 되어주고 싶어요!

Monologue 1 진정한 비즈니스

당신이 다른 사람들을 순수(純粹)하게 위하고 있는 중이라면 그분들은 나중에 당신의 노고(勞苦)를 어떤 방식으로던지 치하(致賀)해 주실 겁니다.

걱정하지 마세요 :)

Monologue | 소년

남자의 가슴 속에는 '소년'이 있다.

나눔손글씨 '시우 귀여워' | 또래보다 느린 아이지만 생각이 깊고, 가족과 친구들을 배려할 줄 아는 고운 마음을 가졌죠. 엄마의 응원과 사랑을 전합니다.

가슴이 먹먹해지는 '소년'이 있다.

Monologue | 오답노트

나는 당신의 오답 같은 인생을 보면서 틀리지도 않은 문제에 대한 오답노트를 썼습니다. 어쩌면 그렇기 때문에 그 문제들의 오답은 쉽게 피할 수 있었습니다. 하지만 당신이 맞춘 정답 또한 저에겐 오답처럼 보여서 틀린 문제도 꽤나 많았습니다. 그래서 원망도 참 많이 했습니다. 하지만 분명한 건 당신에게 나는 오답이었습니다. 그렇지만 당신은 나를 가지고 오답노트를 쓰지 않았습니다. 당신은 나를 정답이라고 말해주었습니다.

감사하고 사랑합니다. 아버지.

나눔손글씨 '기쁨밝음' | 입양가족입니다.
아이들에게 편지를 자주 쓰는데, 이 글씨체로 추억을 주고 싶어요. 글꼴명에 아이들 이름의 뜻을 붙여보았습니다.

Monologue I thISORDER

사실 나의 아버지는 친아버지가 아니다. 하지만 아버지는 나를 친 아들처럼 키워주셨다. 지금와서 생각해보면 아버지는 나에게 학생들을 당신의 아들처럼 키울 수 있는 능력을 물려주신 것 같다.

나눔손글씨 '아기사랑체' | 아픔을 안고 태어난 아가들을 돌보는 간호사 이모입니다.
제 글씨로 사랑을 전합니다. 너는 할 수 있어! 라고요.

Mondologue 1 하나

인생을 살다보면 '하나'를 배우게 된다.

하나씩 하나씩 하다보면 큰 '하나'를 이룰 수 있고

세상에게 버려졌을 때도 나를 좋아해주고 믿어주는 '하나'가 꼭 있다.

나에게 하나는 "희망(希望)"이었다.

이제 나는 그 '하나'가 되고 싶다.

나눔손글씨 '다진체' | 뇌 병변장애로 불편하지만 손글씨를 열심히 쓰고 있습니다.
언제까지 쓸 수 있을지 몰라 글씨체를 남기고 싶습니다.

Monologue | 폴라로이드 사진

학생들 중에서 낮보다는 밤하늘에 가까운 존재들이 있다.

어둡기만 한 건 아니다.

몇 개의 별이 떠 있다.

그 몇 개 되지 않는 별을 같이 세어주면

그다음에 어디서 났는지 몇 개의 별을 더 가져온다.

나눔손글씨 '노력하는 동희' | 제 동생은 청각장애가 있고 시력도 많이 나빠 글 쓰는데 많은 노력이 필요합니다. 양식을 확대해 일주일 동안 열심히 썼답니다.

Monologue 1 꽃게

인간은 '자의식(自意識)'을 가지고 있다.

하지만 꽃게는 그렇지 않다.

그저 본능에 따라서 민첩하게 움직이고 멈춘다.

인간은 그러한 꽃게가 부럽다.

인간은 자신의 지문(指紋)을 불편해한다.

하지만 결국 자신의 숙명(宿命)을 받아들이기로 한다.

나눔손글씨 '상해찬미체' | 중국 상해에서 사람들에게 한글의 아름다움을 가르치고 있는 제 글씨가, 작게나마 도움이 되었으면 좋겠습니다.

Monologue 1 중구난방

글쓰기에는 공식이 없다.

그저 귀 기울일 수밖에 없다.

Monologue 1 층간소음

윗집의 층간소음이 뻔뻔할 정도로 너무 심하다.

귀머거리가 되었으면 좋겠다.

들리니까 너무 괴롭다.

10. 철로 통행 구간 (the Railway Traffic Area)

철도 터널의 경우 기차가 이동하는 구간을 의미합니다. 기차 터널은 곡선과 경사 등이 터널의 기하학적 특성을 따라 설계되며, 기차의 흐름을 안전하게 유지합니다.

Dialogue | 막(膜)

이하율 李昰律 | 선생님, 저는 정말 바본가봐요.

박세욱 朴世旭 | 왜요?

李昰律 | 영어 문법을 공부하고 있는데 아무리 해도 잘 모르겠어요.

朴世旭 | 하율이는 국제 영어 토론대회에서도 우승(優勝)했잖아요? 문법도 정확하게 잘 알려주면 금방 정복할 수 있을 거예요.

李昰律 | 음... 그런가요... 토론은 어느 정도 자신 있어요. 토론 주제와 입장이 주어지면 어떤 주장을 하면 좋을지 그리고 어떤 반박이 들어올지 또 어떻게 방어할 지가 '악' 떠올라요. 하지만 토론을 제외한 나머지에 있어서는 완전 바보에요. 저는 왜 이렇게 자신감이 없을까요? 그리고 항상 느꼈던 건데 제가 친구들에 비해 너무 예민한 것 같아요. 사소한 말에도 쉽게 상처받고 잘 잊혀지지 않아요. 그래서 또 상처를 받을까봐 친구들과 잘 어울리지도 못해요.

朴世旭 | 그건 하율이에게 천재성(天才性)이 있어서 그런 게 아닐까요?

나눔손글씨 '자부심지우' | 함안 군북초 5학년 지우의 담임입니다.
지우에게 자부심을 주려는 마음으로 글씨체를 보냅니다. 추억도 주고 싶구요.

李是律 | 천재성이요?

朴世旭 | 네. 천재는 '아기 코끼리 덤보'처럼 '아주 커다란 귀'를 가지고 있어요. 그 레이더망 덕분에 남들이 느끼지 못하는 것을 느낄 수 있죠. 하지만 주변에 날카로운 소리들이 있다면 조심해야 돼요. 그것들이 레이더망을 다치게 하거든요. 그래서 천재들은 항상 신경이 날카롭게 곤두서있어요. 하지만 성격이 기민(機敏)하고 날카롭다가 갑자기 둥글둥글해질 수는 없어요. '천재성의 딜레마'에요. 그 점과 관련해서 하울이에게 해주고 싶은 조언이 있어요.

李是律 | 그게 뭔가요?

朴世旭 | 우선 '누군가와 있었던 일'을 도시(都市)라고 생각해보세요. 서울에 산다고 반드시 서울에 대해서 잘 알고 있는 건 아니에요. 매번 본인이 가는 곳만 가기 때문이죠. '친구와 있었던 일'이 도시라면 '매일 어디를 걷고 있는 지' 묻고 싶어요. 황폐하고 위험한 동네에서 길을 잃은 것은 아닐까요? 이 세상에 고담 도시는 없어요. 그 안에서 하울이가 편안함을 느끼고 마음을 놓을 수 있는 따뜻한 동네가 분명히 있을 거에요. 그리고 천재의 주변에는 항상 질투(嫉妬)하는 사람들이 있기 마련이에요. 질투는 인간의 본능이라고 생각해요. 아무리 선한 사람이라도 자신보다 능력이 뛰어난 사람이 앞에 나타나면 분명 마음이 흔들릴 거에요. 그러니 개인적인 감정은 가지지 않았으면 좋겠어요. 인간의 재능은 '씨앗'과 같아요. 씨앗은 혼자 꽃을 피울 수 없어요. 주변 사람들이 그 씨앗을 꽃 피울 수 있게 도와주는 '태양'과 같은 존재가 되어줄 거에요.

李是律 | 그럼 어떻게 하는 게 좋을까요?

朴世旭 | 솔직(率直)하게 먼저 다가가세요. 나의 이야기가 솔직하지 못하다면 그저 나만의 이야기가 되지만 솔직하다면 '우리의 이야기'가 돼요. 솔직해지려는 마음은 '올바름을 추구하려는 마음'이에요. 인간은 겉으로 다소 냉소적으로 보일지라도 '올바름에 대한 갈망(渴望)'을 항상 마음 속에 품고 있어요. 모든 사람들과 잘 지낼 필요는 없지만 사람은 '사이'를 필요로 하는 존재에요. 천재 뿐만 아니라 선생님처럼 평범한 사람도 성장할 수 있었던 이유는 사람들이 좋아해주었기 때문이에요. 꽃은 꽃이라고 불러주었을 때 비로소 꽃이 돼요. 그러니 천재성에 대해서 부인하기 보다는 객관적으로 인지하고 지혜롭게 대처하는 게 현명(賢明)하다고 생각해요.

李是律 | 과연 저에게도 해당되는 이야기일까요?

朴世旭 | 그럼요! 하울이는 지금 어떤 막(膜)에 싸여있어요. 하지만 혼자의 힘으론 그 막을 터뜨리고 나올 수 없어요. 그 막에서 나올 수 있도록 크게 소리쳐 줄 수 있는 사람이 필요해요. 선생님은 '특별한 길을 가는 특별한 사람들이 존재(存在)한다'고 확실하게 말해주고 싶어요. 특별한 사람은 특별하게 생각하고 특별하게 행동하는 게 평범(平凡)한 거에요. 서로 평범함이 다를 뿐이죠. 천재성(天才性)은 악몽(惡夢)과 같아요. 하지만 그 악몽이 누군가에겐 '꿈'이 될 수 있어요. 시간이 흘러서 '악몽의 막(幕)'이 내리면 많은 사람들의 '자랑스러운 꿈'으로 박수갈채(拍手喝采)가 터질 거라고 믿어요.

Monologue | 체외충격파

나는 2년에 한 번 씩은 결석을 치료하기 위해서 병원에 간다. 결석(結石)은 몸에 있는 돌을 말하는데 '체외충격파' 기계를 통해서 정확하게 '돌'을 때려서 부순다.

나눔손글씨 '예당체' | 암 투병을 하면서 세상에 무언가를 남기고 싶어 도전합니다.
오랜만에 손도 떨렸지만, 제 손글씨 글꼴이 만들어진다면 큰 기쁨이 되겠습니다.

Monologue 1 은사이자 원수

가장 좋은 것을 주는 사람은 가장 나쁜 것도 같이 준다.

Monologue | 원래 그래

우리가 일상에서 쓰는 표현들의 이면에는 '인간은 바뀌지 않는다'는 체념이 깔려있는 듯하다. 하지만 그것은 누군가의 포기일 뿐 불가능한 일이 아니다. 이 세상에 원래부터 그런 건 없다. 그저 방황에 익숙해져서 그 방황을 계속 유지하고 싶을 뿐이다.

그리고 세상에 그런 건 없다고 하는데

그런 게 왜 없는가?

내가 보란 듯이 보여줄 것이다.

나눔손글씨 '나는 이겨낸다' | 44년 동안 이렇게 굳어버린 글씨체네요.
쓰다 보니 조금은 울컥하네요. 힘듦을 이겨내고 있는 인생을 생각하며 제목을 정했습니다.

Monologue | NEVER GIVE UP!!!

절대로 포기하지 않는다!!!

절대로 포기하지 않는다!!!

절대로 포기하지 않는다!!!

Monologue | 레몬즙

레몬이 손바닥 위에 놓여있다.

손은 점점 레몬을 움켜쥔다.

그러면서 서서히 레몬 안의 즙이 바깥으로 새어 나오기 시작한다.

Monologue | 레몬즙 2

요리에 레몬즙을 한 방울 넣었다고 하자.

대부분 그 레몬즙을 느끼지 못할 것이다.

하지만 '누군가'는 느낄 것이다.

이것은 의견차이가 아니다.

인간의 느낌은 '하나'다.

Monologue | 물론 아냐 천재

나는 내 글이 누군가에게 어떻게 읽힐지 그리고 어떤 영향을 미칠지 예측할 수 없다. 물론 천재라면 가능하겠지만 나는 천재가 아니다. 그래서 포기하지 않고 계속해서 글을 쓰고 있고 사람들에게 보여줄 것이다.

Monologue | 다이아몬드

나의 글은 나의 실타래다.

꼼꼼하게 한 줄 한 줄 감는다.

엉성하지 않게 꾹꾹 눌러 감는다.

나의 중심이 풀리지 않게 단단하게 감는다.

Monologue 1 명작

나이를 먹을수록 좋은 작품이 나오는 건 아니다.

가장 좋은 작품이 나오는 시기는 따로 있다.

나눔손글씨 '갈맷글' | 저희 동네 예쁜 바닷길 이름이 갈맷길입니다. 그 이름에서 따왔습니다. 구불구불 편안한 길 같은 글로 쓰였으면 합니다.

Monologue | 청개구리

영웅(英雄)이 영웅을 만들지 않는다.

영웅은 악당(惡黨)이 만든다.

그리고 그 영웅은 새로운 악당을 만든다.

나눔손글씨 '철필글씨' | 복사기가 없던 시절, 철판(가리방)에 원지를 놓고 철필로 써서 인쇄물을 만들었습니다. 제 글씨체가 그때 영향이 있는 것 같습니다.

Monologue | 스트레스

우리는 서로가 되어보지 못한 만큼 스트레스를 받는다.

나눔손글씨 '김유이체' | 일곱 번의 수술을 받고도 하늘나라로 떠난 소중한 우리 딸.
육아일기 쓰던 엄마의 손글씨를 통해 이 세상에 다녀갔다는 것이 기억되길 바랍니다.

Monologue | 측은지심

인간은 자신이 우물에 빠졌을 때도 바로 자신을 구하러 뛰어드는가?

Monologue | 나만의 일타강사

돌이켜 보면 나는 '어린 시절의 나'를 위해서 수업 준비를 했던 것 같다. 그러다 보니 상위권 학생들은 내 수업을 굉장히 답답하고 유치하게 느꼈을 것이다. 하지만 '어린 시절의 나'는 나에게 절대로 지울 수 없는 학생이다. 나는 항상 어린 시절의 내가 이해하지 못할까봐 장황하게 설명하고 지루해할까봐 유치한 농담과 게임을 준비한다. 나는 '어린 시절의 나'를 가장 잘 가르친다.

나눔손글씨 '아인맘 손글씨' | 9살 발달장애 아이를 키우는 엄마입니다.
아인이는 궁금한 글자를 저에게 써달라고 합니다. 그럼 제 글자를 보고 따라서 써요.

11. 통행 방향 지시 시스템 (the Directional Signage System)

터널 내에는 통행 방향을 안내하는 표지판이 설치됩니다. 안전한 차로 변경과 터널 내에서의 경로를 안내하여 운전자들이 원활하게 통행할 수 있도록 돕습니다.

Dialogue | 바이러스

박세린 朴世璘 | 선생님, 저는 선생님이 되는 게 꿈이에요. '훌륭한 선생님'이란 무엇일까요?

박세욱 朴世旭 | 선생님 생각에 훌륭한 선생님은 '훌륭한 교육자'를 의미하는 것 같아요.

朴世璘 | 음... 그럼 잘 가르치는 선생님이 훌륭한 선생님이겠군요?

朴世旭 | 잘 가르치는 것도 물론 중요하지만 그 부분이 너무 부각되어있다고 생각해요. 그러다 보니 지식(知識)이나 기술(技術)을 전수(傳受)한다는 이미지가 강하죠. 하지만 그건 '빙산의 일각'이에요. 교육의 거의 대부분은 전염(傳染)이에요.

朴世璘 | 전염이요?

朴世旭 | 네. 수업 시간에 가르치고 배우는 부분은 5%도 채 안 돼요.

朴世璘 | 지식이 전염되는 걸까요?

朴世旭 | 아니요^^ 가르치고 배울 수 있는 건 전염되지 않아요.

나눔손글씨 '연지체' | 친구들아, 보고 있니! 난 연지야.
너희가 항상 내 글씨를 볼 때마다 하는 칭찬에 꼭 보답하고 싶었어. 부디 예쁜 곳에 쓰이길.

朴世璘 | 그럼 무엇이 전염된다는 말씀이신가요?

朴世旭 | 바로 '선생님의 본질'이 전염됩니다. 여기에서 선생님의 본질은 다양할 수 있어요. '열정(熱情)'이 될 수도 있고 '성실성(誠實性)'이 될 수도 있고 '창의성(創意性)'이 될 수도 있고 '학문(學問)에 대한 진정성(眞正性)'이나 '삶에 대한 절도(節度)'도 될 수 있죠. 여기에서 본질의 중요한 특성은 '바이러스처럼 막 퍼진다'는 점이에요. 예를 들면 열정적인 선생님과 있으면 학생들도 열심히 노력하려는 모습을 보여줄 것이고, 창의적인 선생님과 있으면 오픈 마인드를 가지고 새로운 아이디어를 제시하게 될 거예요. 인품(人品)이 뛰어나신 선생님과 있다보면 자기도 모르게 배려하는 말투나 행동을 따라하게 될 거예요. 반대로 선생님이 '게으름'을 피우고 계시다면 아무리 겉으로 부지런한 모습을 보여주려 노력하신다고 해도 그 게으름이 주변 학생들에게 전염됩니다. 본질은 설득하고 이해시킬 수 있는 지(知)적인 주제(主題)가 아니라 물리적으로 퍼지는 '냄새 혹은 향기(香氣)'와 같아요. 그렇기 때문에 선생님은 자신의 본질을 잘 관리해야합니다.

朴世璘 | 그렇지 않으면 학생들이 오염되기 때문이군요?

朴世旭 | 그렇죠! 교육은 단순히 머리를 쓰는 일이 아니에요. '선생님의 훌륭한 본질을 학생들에게 전염시키는 일'에 더 가까워요. 선생님은 세린이에게서 훌륭한 본질이 느껴져요. 학생들 안에 잠재된 훌륭한 본질을 일깨워주세요. 사랑이 머리를 가르칩니다. 학생들에게 훌륭한 과목(科目)이 되어주세요.

Monologue | everything

선생님이 되면 학생들에게 모든 것을 가르쳐 주고 싶다. 하지만

모든 것을 가르쳐 주는 것이 과연 모든 것을 가르쳐 주는 방법인가?

나눔손글씨 '다행체' | 더 정성스러운 마음을 전할 때 손글씨를 끄적입니다.
자욱마다 마음의 씨앗이 담기면 좋겠어요. 당신에게 닿아 꽃이 피도록

Monologue | 발음

우리는 같은 언어를 쓰지만 다른 언어를 쓴다. 교실은 공항(空港)같다. 교실 안에서 학생들은 같은 국적을 가진 사람들끼리 모이기도 하고 다른 나라 사람들을 만나기 위해서 흩어지기도 한다. 그 과정에서 우리는 자연스럽게 서로의 발음(發音)을 배운다. 그러고 보니 나도 내가 좋아하는 아티스트들에게서 '창작(創作)의 발음(發音)'을 배웠다. 유학(留學)을 갈 필요가 없다.

나눔손글씨 '무궁화' | 대한민국이라는 이름만 들어도 가슴이 벅찬 경찰 준비생입니다.
무궁화 꽃말처럼 일편단심, 영원히 대한민국 국민이고 싶습니다.

eTunneLight

Monologue | 굳이

굳이

굳이

말하지 굳이 말하지

않아도 굳이 않으면

서로 굳이 절대로

아는 게 굳이 알 수 없는

있지만 굳이 것도 있다.

나눔손글씨 '안쌍체' | 말로 하는 표현이 서툴러 아침마다 아내에게 쪽지를 적어 보냅니다.
기분 좋게 하루를 시작하는데 조금이나마 도움이 되었으면 좋겠어요.

Monologue | power

힘을 원하는 것은 나쁜 게 아니다.

그 힘을 올바른 곳에 쓸 수 있는 게 중요하다.

그리고 그럴 수 있는 사람에게 우리는 힘을 모아주어야 한다.

나눔손글씨 '열일체' | 군인인데 글씨체를 바꾸려 해도 잘되지 않더군요.
부드러운 엄마가 되려 노력해도 자꾸 군기 잡는 제 모습처럼 말이죠.

Monologue 1 친구 같은 선생님

친구 같은 선생님은 없다.

명령은 인간에게 유일하게 허락된 폭력이다.

Monologue | 착한 척

남에게 피해를 끼치고 있지 않을까 걱정하기 전에

네가 너 자신을 괴롭히고 있진 않은지 생각해 봐라.

Monologue | 두 가지 2

세상에는 두 가지 종류의 감옥이 있다.

하나는 '혼자'라는 감옥이고

나머지 하나는 '함께'라는 감옥이다.

근데 그 감옥으로 데리고 가는 "감옥"은 누구인가?

나눔손글씨 '바른히피' | 네모 안에서 히피처럼 자유롭게!
자유롭지만 바르게, 바르지만 자유롭게 살아가는 우리들을 위한 네모한 글씨체입니다!

Monologue | 트로트

정말이지 혼란스럽다.

도대체 슬퍼야 하나 아니면 신나야 하나?

신호등의 빨간불과 초록불이 동시에 켜진 것 같다.

트로트 무대의 불빛이 괜히 화려한 게 아니었다.

나눔손글씨 '세계적인 한글' | 초등학교 1학년에 재학 중인 다문화가정 아동이 썼습니다.
이민자, 중도입국자, 외국인의 한글 학습을 응원합니다.

Monologue | 한 번

한 학부모님과의 상담 중에 이런 고민을 들은 적이 있다.

"우리 아이의 실력이 나쁜 건 아닌데 왠지 불안(不安)하다. 큰 시간을 투자하는 건 망설여지고 지금처럼 적당히 하는 건 불안하다."

나는 솔직하게 말씀드렸다.

"아이가 지금보다 훨씬 더 성장할 수 있는 잠재력을 갖고 있는데 충분히 발휘하고 있지 않은 것 같다. 나중에 한 번 위기(危機)가 올 것 같다. 지금은 과하게 보일 지라도 공격적으로 시간을 투자할 필요가 있다. 한 번을 막기 위해선 100번 혹은 그 이상이 필요하다."

'한 번'을 막을 수 있는 사람과 그렇지 못한 사람 사이에는 '엄청난 차이'가 있다. '그때가서 해도 늦지 않는다'는 말은 믿지 않는다. 인생이 그렇게 쉽지 않다. 인간의 시야는 표면이 장악하고 있다. 표면을 뚫고 내부로 진입해야한다. 핵에 도달하기 위해선 아수라장을 거칠 수 밖에 없다. 무대 위의 댄스가수들이 동작을 크게 하는 이유는 맨 뒤에 있는 사람들에게까지 보이기 위함이다.

나눔손글씨 '희망누리' | 두 아이의 엄마이자 평범한 주부예요.
경력은 단절되었지만 꿈을 품고 사는 멋진 엄마가 되고 싶어 지원합니다. 전업 맘들 힘내세요.

Monologue | 지혜로운 황소

남자(男子)는 철이 들면 여자(女子)가 된다.

그러니 적당히 철이 들었으면 다시 남자로 돌아가야 한다.

'우아(優雅)'는 여자의 몫이다.

남자는 무릇 '돌진(突進)'해야 한다.

나눔손글씨 '여름글씨' | 소싯적 열심히 글씨를 연습했던 모습이 떠오르며 심장이 두서없이 어찌나 뛰던지, 도전이라는 단어만으로 해피바이러스 충만!

Monologue | 케이스

영어 학원에 처음 입사했을 때 원장님의 영어 강의를 들으면 강의 내용 밖에 들리지 않았다. 하지만 시간이 흐르고 다시 그 강의를 보았을 때 내용보다 직원들에게 하나라도 더 알려주려는 모습이 보였다. 예전에는 능력이 가장 중요하다고 생각했지만 지금은 아니다. 자신의 능력이 뛰어나다고 우쭐될 수도 있지만 겸손할 수도 있다. 자신의 능력이 부족하다고 의기소침할 수 있지만 본인이 할 수 있는 것을 찾아 애쓸 수도 있다. 능력이 중요한 게 아니다. 능력이라는 '케이스' 안에서 어떻게 행동하는 지가 사람을 보는 주안점이다. 능력 뿐만 아니라 가정 환경과 직업 그리고 성별 모두 케이스에 불과하다. 케이스에 집착하는 순간 구속(拘束)되며 진정한 자유(自由)와는 멀어진다. 나는 당신의 직업이 궁금하지 않다. 나는 당신의 움직임이 보고 싶다.

나눔손글씨 '빵구니맘 손글씨' | 아이를 키우면서 선생님을 그만두고, 집에 아이들과 있어요. 가끔은 엄마의 삶만 있는 것 같아요. 손글씨로 저를 보여주고 싶어요.

12. 출구 (the Exit Portal)

터널의 출구 부분으로, 터널에서 외부로 나가는 지점입니다.

Dialogue | 사람

홍정빈 洪禎彬 | 선생님, 학교에서 미래에 어떤 직업을 하고 싶은 지 조사해 오라고 하는 데 무엇을 해야 할지 모르겠어요. 딱히 잘하는 것도 없어요.

박세욱 朴世旭 | 음... 스튜어디스를 해보면 어떨까요? 왠지 잘 어울릴 것 같아요.

洪禎彬 | 어! 사실 저희 어머니께서 스튜어디스셨는데 고생한다고 절대로 하지 말라고 하세요.

朴世旭 | 원래 자신의 직업은 추천하지 않는 게 일반적이죠. 아니면 국정원에 들어가서 비밀요원이 되어보는 건 어떨까요?

洪禎彬 | 오! 괜찮은데요. 뭔가 멋있어 보여요. 일단 그걸로 조사해봐야겠어요.

朴世旭 | 좋아요. 본인의 마음에 드는 직업을 찾아서 조사해 보세요. 세상에는 수많은 직업이 있고 그중 어떤 직업을 택할지는 정말 중요해요. 하지만 한 분야에 들어와서 일을 하다 보면 결국 그 분야의 특성은 흐려지기 마련이에요. 왜냐하면 하나의 직업에는 모든 직업이 들어있기 때문이에요.

洪禎彬 | 그게 어떤 의미인가요?

나눔손글씨 '흰꼬리수리' | 대한민국을 지키는 해양경찰관입니다.
제 손글씨가 쓰일 때, 밤낮 가리지 않고 지키는 해양경찰관들을 기억해주시면 좋겠습니다.

朴世旭 | 예를 들면 어떤 가수(歌手)의 노래를 듣다보면 화가(畫家)로서 풍경화를 그리고 있다는 인상을 받아요. 어떤 요리사(料理師)가 건넨 한 마디의 말은 철학자(哲學者)의 글처럼 깊은 깨달음을 주기도 하죠. 또 어떤 배우(俳優)의 이야기를 듣다보면 의사(醫師) 선생님에게 '이상 없다'는 진단을 받은 것처럼 마음이 편해지기도 합니다. 혹시 『슬램덩크』라는 만화를 본 적이 있나요?

洪禎彬 | 네! 최근에 영화관에서 극장판으로 봤어요! 오래된 작품이지만 정말 재밌었어요.

朴世旭 | 어떤 부분이 가장 기억에 남나요?

洪禎彬 | 음... 스토리도 좋았지만 무엇보다도 등장인물들이 했던 '명대사'가 가장 기억에 남아요.

朴世旭 | 좋은 포인트에요! 『슬램덩크』는 한 때 전국 각지에서 농구 열풍을 불러일으킬 정도로 많은 사람들에게 영감(靈感)을 주었던 작품이에요. 『슬램덩크』 안에는 청춘(青春)이 들어있어요. 주인공 '강백호'는 본인이 짝사랑하는 '채소연'의 마음에 들기 위해서 농구팀에 가입하게 되지만 형편없는 실력 때문에 주장 '채치수'에게 혼나면서 농구를 배우죠. 동시에 실력자 '서태웅'에게는 무시를 당하지만 끊임없이 성장하는 모습을 보여주면서 점차 인정을 받게 됩니다. 결국 나중에는 서태웅과 환상의 플레이를 보여주기도 하죠. 그 일련의 과정에서 우리는 순수한 열정과 도전 그리고 우정과 사랑을 느낄 수 있었다고 생각해요. 많은 사람들이 『슬램덩크』를 보고 농구장으로 향했던 이유는 농구의 재미도 있었겠지만 작품 안에서 느꼈던 청춘을 직접 확인해보려 했던 건 아니었을까 생각해요. 텅 빈 농구장을 '사람'으로 채우려고 했던 것 같아요.

Monologue | 두 가지 3

세상에는 두 가지 싸움이 있다. 하나는 '천장이 있는 싸움'이고 나머지 하나는 '천장이 없는 싸움'이다. 학생들이 보는 시험은 '100점'이라는 천장이 있지만 선생님이 하는 수업에는 천장이 없다. 내가 '200점짜리 수업'을 하면 '200점'을 받을 수 있고 '500점짜리 수업'을 하면 '500점'을 받을 수 있다. 그리고 무엇보다도 천장이 없는 싸움의 가장 좋은 점은 "굳이 그렇게까지 할 필요가 있냐?"라는 핀잔을 듣지 않아도 된다.

나눔손글씨 '느릿느릿체' | 느릿느릿 오래 걸리는 손글씨이지만, 정성 들여 쓴 만큼 제 손글씨 글꼴을 통해 많은 사람들의 마음이 전달되면 좋겠습니다.

Monologue | 소라게

사람은 소라게 같다.

자신의 약점(弱點)을 가장 잘 숨겨줄 수 있는 사물을 골라 그 밑으로 숨는다.

누구는 책 아래로 숨기도 하고

누구는 그릇 아래로 숨기도 하고

누구는 앨범 아래로 숨기도 한다.

Monologue | 바보

나는 '나'에 관한 이야기를 많이 한다. '나'는 정확히 무엇일까? 나의 외모와 성격 그리고 능력이 과연 '나'일까? 단순히 부모님으로부터 물려받은 형질이 아닐까? 그렇다면 이 형질에 대해서 왜 몰입해야 할까? 역을 지나가는 기차와 같이 나는 내가 나를 통과(通過)하는 것을 지켜보는 제3자에 불과하지 않을까? 지금까지 나를 변화시키는 것이 진정한 자유라고 생각했는데 오히려 진정한 자유는 주어진 인생을 온전히 받아들이는 데서 오는 게 아니었을까? 나는 자유롭다고 착각하고 있던 게 아니었을까? '자유롭다는 착각(錯覺)'이 가장 무서운 구속(拘束)이 아니었을까? 나의 인생은 타인의 인생만큼이나 낯선 것이 아닐까? 그만큼 나의 인생과도 적당한 거리를 두어야 하는 게 아닐까? 그럼에도 불구하고 안간힘을 쓰는 이유는 뭘까? 바뀌지 않을 걸 알지만 끊임없이 시도하는 이유는 뭘까?

나는 왜 바보가 되려 하는 걸까?

나눔손글씨 '왼손잡이도 예뻐' | 저는 왼손잡이에요.
왼손잡이는 글씨가 안 예쁘다는 편견을 깨기 위해 열심히 쓴 글씨입니다!

Monologue | 분필 수업

분필 수업은 촌스럽고 비효율적이지만 사라지지 않는 이유는

전자 칠판의 스크린이 너무 미끄러워서 그런 게 아닐까?

나눔손글씨 '소미체' | 글자 공부를 했지만, 사람이 쓴 글자보다 나은 모양새는 없었어요. 한글 서체를 만드리라 다짐했어요. 어쩌면 이루어질지도!

eTunneLight

Monologue | 무적

이래서 행복하고 저래서 불행하고... 그러지 않기로 했다.

어차피 죽으면 다 끝이다.

그러니 어떤 상황이 닥쳐도 밝게 웃을 수 있는 사람이 되기로 했다.

나눔손글씨 '하람체' | 때때로 바뀌던 글씨가 이젠 바뀌지 않아요.
작은 일에도 흔들리다가, 이젠 무슨 일에도 제자리를 지키는 제 마음처럼요!

Monologue | 넓은 마음

넓은 마음을 가지면 더욱 더 많은 사람들이 나의 글을 읽을 수 있게 되고 더욱 더 좋은 표현을 발견하게 된다. 그리고 넓은 마음을 가지면 더 행복하다. 가지려고 하면 좁아지고 가지지 않으려고 하면 넓어지는 것 같다. 하지만 아직 나의 마음은 너무나도 좁다.

걱정하지마

힘이 빠지는 순간,

넌 날 수 있다.

나눔손글씨 '진주 박경아체' | 병환으로 누워계신 아버지를 매일 찾습니다.
이제는 글자를 잃어버린 당신. 저에게 가르쳐준 글씨를 더 늦기 전에 알려드리고 싶습니다.

eTunneLight

Monologue | 나만의 악센트

우상은 연인과 같다.

가장 사랑했던 만큼 영원히 이별하게 된다.

나눔손글씨 '엉겅퀴체' | 엉겅퀴처럼 가시가 돋친 것을 얇은 펜으로 표현한 글씨입니다.
이 글씨체로 꽃 같은 아름다움을 표현해주셨으면 합니다.

Monologue | 실수

깨끗한 롤모델은 과연 모두의 롤모델이 될 수 있는가?

나눔손글씨 '힘내라는 말보단' | 하고 싶은 말이 있으면 편지를 써요, 말보다 글씨가 힘이 되거든요. 그 시간 전부가 당신이었음을 알아줬으면...

Monologue | viewpoint

너무 높은 하늘에서 자신을 내려다보면 '콩알'만 하게 보인다. 반대로 바닥에서 자신을 올려다보면 '거인'처럼 보일 것이다. 실제로 내가 어떤 상태인가도 물론 중요하지만 어떤 지점에서 나를 바라보는가도 중요하다. 사람들은 각자의 위치에 있을 때 가장 아름답다. 하지만 각자의 위치에 있는 사람들을 어떤 위치에서 바라보는가가 결국 그 아름다움을 완성시켜준다. 예를 들면, 평범한 사람을 너무 높은 하늘에서 내려다보면 콩알만 하게 보이지만 가까이서 보면 그들은 '일상의 거인'이 된다. 반대로 슈퍼스타를 너무 가까이서 보면 형체를 알아볼 수 없지만 멀리서 보면 반짝이는 별이 된다. 즉, 위치에 따른 적합한 관점(觀點)이 그 사람의 자아(自我)를 완성(完成) 시켜준다. 그렇다면 나의 위치는 어디일까? 그리고 그 위치에 서있는 '나'를 가장 아름답게 볼 수 있는 관점은 어디일까?

Monologue | 낙서

경계선을 그려봐야 하나를 알 수 있다.

나눔손글씨 '옥비체' | 비오는 크로아티아 스플릿 작은 방에서 한 글자씩 적는 이 글씨가 세계 각지에 계신 분들의 마음을 전하는데 쓰였으면 합니다.

Monologue | 무늬

이 세상의 모든 순간은 지문처럼 각자 자신만의 무늬가 있다. 그 무늬를 감지하고 그 고유한 트랙을 매끄럽게 따라가는 것이 바로 '카르페디엠'이다.

나눔손글씨 '유니 띵땅띵땅' | 리듬이 띵땅띵땅 느껴지는 제 손글씨를 무척 좋아합니다. 손글씨를 사용할 땐 늘 재미나고 행복해요. 신나게 쓰였으면 좋겠습니다!

Monologue I VJ

그의 음악에는 다시는 돌아오지 않을 소중한 순간들이 담겨있다.

그래서 반복 재생하면 언제든 그 아름다운 순간들을 느낄 수 있다.

하지만 나는 그의 음악에서 '스쳐 지나가는 법'을 배웠다.

나눔손글씨 '수줍은 대학생' | 대학생입니다
좋아하는 사람에게 건넬 편지를 몇 번이나 다시 썼는지 몰라요. 사랑을 시작하는 청춘의 마음이 남겨있습니다!

Monologue | 테이블

드라마에서 재벌집 식사 테이블은 굉장히 길고 널찍하다. 그러다 보니 어머니에게 더 가까운 요리가 있고 아들에게 더 가까운 요리가 있다. 우리의 삶 또한 이 식사 테이블에서의 상황과 비슷한 게 아닐까? 누구는 공부가 더 쉽고 누구는 운동이 더 쉽다. 부잣집 아들은 인간이 되는 게 더 중요한 반면 가난한 집 아들은 돈을 벌어오는 게 더 중요하다. 우리는 모두 이 하나의 테이블을 두고 살아가는 게 아닐까?

나눔손글씨 '야채장수 백금례' | 1938년 백금례입니다.
평생 장사하며 80에 한글을 배웠습니다. 손녀의 말에 써보았는데, 못 쓴 글씨지만 고맙고 감사합니다.

Monologue | 매미

인생은 고민과 갈등 그리고 방황으로 가득하다. 그렇다면 우리에게 안정을 즐길 수 있는 시간은 얼마나 허락될까? 우리가 우리의 노래를 즐겁게 부를 수 있는 시간은 과연 얼마나 될까? 아마도 그 시간은 너무나도 짧을 것 같다.

매미의 노래처럼.

나눔손글씨 '빅시세' | 사랑하는 아빠가 정성 들인 글씨입니다.
아빠 손 글씨를 볼 일이 얼마나 더 있을까요? 우리 아빠는 글씨도 빛있는 것 같아요.

Monologue | 괴물

거짓말하지 않고 있는 그대로 묘사하다보니

그 안에 예상치 못한 '거대한 일관성'이 들어있었다.

나는 괴물이었다.

나눔손글씨 '몽돌' | 어렸을 때 몽돌을 만져봤던 기억이 있는데, 그 촉감이 지금도 선명합니다. 제가 느꼈던 그 기분을 글꼴로 느껴보셨으면 좋겠어요.

맺음말 | 선물

당신 덕분에 인생에서 가장 중요한 것을 배웠습니다.

무엇보다 '사람'이 먼저 되겠습니다.

정말 죄송했습니다.

이제 와서라도 감사의 말씀을 올리고 싶습니다.

당신을 만나서 행운(幸運)이었습니다.

감사합니다.

나눔손글씨 '나재시랑' | 저는 사회복지사입니다.
사회복지시설을 돕는 모든 소중한 후원자님들께 고맙고 감사한 마음이 전달되면 좋겠습니다.

eTunneLight

eTunneLight

발 행 | 2024년 4월 29일

저 자 | 박세욱

펴낸이 | 한건희

펴낸곳 | 주식회사 부크크

출판사등록 | 2024.07.15.(제2014-16호)

주 소 | 서울특별시 금천구 가산디지털1로 119 SK트윈타워 A동 305호

전 화 | 1670-8316

이메일 | info@bookk.co.kr

ISBN | 979-11-410-8307-6

www.bookk.co.kr